Remerciements

Gros bisous de remerciements à tous ceux
qui m'ont soutenu dans la réalisation de ce guide
et plus particulièrement à Sandrine Moreau,
Emmanuelle Stroesser, Sarah Finger, Frédéric Olivier Boulay,
Arnaud Briquet, Laurence Pasquini, Pierre Franchot.
Merci aussi à Murielle Carpentier, de la Vidéothèque de Paris.

Collection dirigée par Jean-Christophe Napias

paris/est/à/nous/

Où s'embrasser à Paris

Thierry **Soufflard**

à

Annabe[illegible]

Annie,

Betty la cochonne, Birgit, Caro,

Corinne la coquine,

Danielle, Emma, Eva,

Fernande (ouhh Fernande),

Françoise,

Fred,

Ma belle Hélène,

Isabelle,

Laure,

Maman,

Marie, Marianne, Maya,

Mémé Cloclo, Mémé Giselle,

Nathalie,

Natacha,

Nini Peau d'chien

Papa,

Lolo, Lolo n°2, Lolo n°3,

Patricia,

Petulla "la pétasse",

Sandrine,

Sarah,

Sissi (qui disait toujours "oui"),

Stéphanie,

Valérie,

Véronique et son rouge à lèvres magique,

Virginie,

Yaëlle,

Zora la rousse...

et leurs lèvres si douces...

Mise en garde de l'auteur
(bien suivre la notice)

Attention : "Un baiser abrège la vie humaine de trois minutes", affirme le département de psychologie de Western State College Gunnison ; le baiser provoque de telles palpitations que le cœur travaille en quatre secondes plus qu'en trois minutes. Les statistiques prouvent que 480 baisers raccourcissent la vie d'un jour, que 2 360 baisers vous privent d'une semaine, que 148 071 baisers... "c'est tout simplement une année de perdue", précise l'écrivain Paul Morand. Autrement dit, si vous tenez absolument à la vie, arrêtez la lecture dès maintenant !

Bienvenue à vous, les amoureux du baiser meurtrier. Mille pardons pour cette invitation à en finir plus vite, mais que ceux qui vont dévorer cet ouvrage soient mis en garde. Qu'ils ne viennent pas se plaindre ensuite. Il sera trop tard ! N'étant pas tenu de recommander une consommation "avec ou sans modération", je me dégage, en grand seigneur, de toute responsabilité relative à vos problèmes de cœur.

Sommaire

Pourquoi ce guide ?

Jusqu'à présent, aucun ouvrage ne faisait état des lieux les plus délectables de la capitale. Ce guide tentera donc de combler une bien regrettable lacune dont les amants, du Pont-Neuf ou d'ailleurs, ont trop souffert.
Le baiser en public se fait rare. Il a disparu de la circulation. Devenu pudique, il s'exécute désormais "sous seing privé", derrière le reflet des fenêtres. De grâce, ressortez vos baisers sur les balcons ou dans la rue ! Manifestez... votre amour et clamez-le sur les toits de Paris. Faites-en profiter les autres pour que refleurissent enfin les rouges baisers et les sourires aux lèvres.
Néanmoins, certains d'entre vous se disent sans doute dans leurs moustaches : "pourquoi ce guide ?" C'est vrai, on peut embrasser partout ! Du reste, l'entreprise du baiser rend souvent aveugle, alors qu'importe le cadre... et pourquoi choisir un lieu plutôt qu'un autre ? Pourtant, l'environnement participe à la réussite et à la saveur du baiser. Alors, rien n'est à négliger. À lui seul, le site choisi peut provoquer (ou non) le rapprochement des lèvres.

À qui s'adresse-t-il ?

Pour les plus de 77 ans que l'amour a parfois rendus gâteux, pour les enfants de 7 ans qui ont sans doute déjà donné leur premier baiser sur la bouche, pour les adolescents, plus gros consommateurs de pioux, pelles, patins ou galoches, et pour qui les baisers "appliqués" représentent souvent la seule étreinte amoureuse, descendons dans la rue et cherchons où peut briller l'enseigne des amants, sous laquelle se pratique cet art "parigo-buc(h)olique".

Paris, capitale romantique

Paris brille dans les yeux des amoureux à travers le monde entier parce qu'il y fait bon s'embrasser... tout simplement. Cette ville joyau dans son écrin romantique a toujours eu cette réputation. Déjà au XVe siècle, le coquin François Villon en chantait les mérites et les attraits. Au XVIe siècle, Montaigne en est même littéralement tombé amoureux : "Paris a mon cœur dès mon enfance. Plus j'ay veu depuis d'autres villes belles, plus la beauté de celle-cy peut et gaigne sur mon affection. Je l'ayme par elle-mesme, et plus en son estre seul que chargé de pompe estrangière. Je l'ayme tendrement, jusques à ses verrues et à ses taches." À travers les siècles, Paris ne cesse de faire couler encre et "salive" : "Est-ce le lieu où toutes les dames vont le soir dans de petits chariots découverts, et où tous les hommes les suivent à cheval ; de sorte qu'ayant la liberté d'aller tantôt à l'une et tantôt à l'autre, cette promenade est tout ensemble promenade et conversation, et est sans doute fort divertissante ?", s'interroge Madeleine de Scudéry dans *Le Grand Cyrus*. Et Dorante d'ajouter : "Paris semble à mes yeux un pays de roman." Quant à Eustache Deschamps, dans ses *Adieux à Paris*, il déclare, la veille de quitter la capitale, son amour pour sa ville chérie : "Adieu m'amour, adieu douces fillettes. Adieu grand Pont, halles, estuves, bains. Adieu broderie et... beaux seins." Mais l'heure n'est pas aux adieux. Au contraire, il est temps de découvrir les jardins secrets ou les délicieuses bouches de métro du Paris romantique... Suivez le guide !

Afin de simplifier la lecture, des symboles donneront, pour chacun des lieux, les informations suivantes :

Heure la plus romantique
Saison la plus romantique : *Printemps* *Été*
Automne *Hiver*
Les longs baisers ne dérangent pas !
Baisers discrets uniquement

1

Les grands classiques

Quel est le premier réflexe d'un couple d'amoureux en visite à Paris ? Se balader main dans la main le long de la Seine ; s'embrasser, au moins une fois, en regardant la tour Eiffel ou la place de la Concorde et se tenir très fort l'un contre l'autre au sommet des escaliers de Montmartre. Parce qu'on leur aura dit que ces lieux sont les plus romantiques... mais les quais de la Seine sont longs et les escaliers de Montmartre, nombreux. Alors quels sont les bancs, les marches, les petits recoins les plus étourdissants ? À quels moments de l'année et de la journée les baisers ne risquent pas d'être interrompus par l'invasion des cars de touristes ? Quels amants connus ont précédé les amoureux du jour ?

Des galants sous le Pont-Neuf

1er arrondissement

Métro Pont-Neuf

En 1994, le styliste Kenzo couvrait de fleurs le Pont-Neuf. Voyez, jeune homme, quel geste galant il vous reste à faire sur le plus ancien pont de Paris ! L'énorme bouquet à la main, rejoignez tous les deux le square du Vert-Galant en empruntant l'escalier derrière la statue d'Henri IV. Et si, encore troublée par votre charme fou, elle s'évanouit, pas de panique ! Les sapeurs-pompiers de Paris sont sur l'autre rive. Il y a juste la Seine à traverser... à la nage. Mais que ne feriez-vous pas pour elle ? Remis enfin de vos émotions, votre visage reprend des couleurs ; dirigez-vous vers la place Dauphine, qui ne rime pas avec "mauvaise mine", comme le chante pourtant Jacques Dutronc. La partie supérieure du jardin est conseillée, surtout les petits bancs en pierre sous les marronniers, face aux marches du Palais de justice.

De 18h30 à 21h

Au joli mois de mai où les fleurs volent au vent

Vous auriez tort de vous en priver

On trouve même de l'oxygène à la Samaritaine

1er arrondissement

Métro Pont-Neuf

Si vous cherchez un air moins pollué que celui de la rue de Rivoli, grimpez aux rideaux de la Samaritaine ! Ou, plus simple et moins risqué : empruntez l'ascenseur du magasin 2 (face à la Seine) jusqu'à la terrasse du 9e étage. Prenez alors une bonne bouffée d'air frais et partagez-la avec la femme ou l'homme de votre choix. Quel bonheur : une haleine fraîche, sans oxyde de carbone. Au-dessus des embouteillages, n'en profitez pas pour pousser le bouchon trop loin, vous n'êtes pas seuls, on vous regarde. Admirez plutôt la superbe vue panoramique qui s'offre à vous. En plein cœur de la capitale, Paris vous prend dans ses bras. Vous-mêmes, bras dessus-bras dessous, vous décidez enfin de rejoindre les petites fourmis qui grouillent en bas à pied, à vélo ou en scooter. Toutefois avant de sortir, et d'être à découvert, le jeu du colin-maillard s'impose si vous êtes fauché. Pour cause : le rez-de-chaussée brille de tous ses éclats avec les plus grandes marques de bijoux, à des prix ne défiant pas toute concurrence. Et si par malchance vous n'avez pas réussi à franchir cette étape sans mettre la main au portefeuille, demandez la liste de mariage !

L'après-midi pour profiter du soleil

Quand fleurissent les lys et listes de mariages

♥ *Vis-à-vis tout autour de vous*

Dans un hôtel, rue de la Paix

2e arrondissement

Métro Opéra

Comme son nom l'indique, la rue de la Paix est idéale pour se réconcilier si vous êtes en "bise-bise" ! Et puis un petit écrin ligoté dans un ruban doré de chez Cartier met automatiquement un point final à toute scène de ménage ! Néanmoins, pour pouvoir offrir le moindre bijou, comme au Monopoly, il faudra avant tout passer par la banque : touchez 20 000 francs ! La BNP a son entrée sur la charmante petite cour Vendôme, en retrait de la place qui porte le même nom. De là, faites vos jeux... de la séduction. Les dés sont jetés ? Bravo, vous avez tiré la carte "chance" car vous l'avez dans la poche, votre jolie petite perle de culture ! Vous arrivez devant l'hôtel Westminster, au 13, rue de la Paix. Là, c'est gagné ! Sous le charme de l'hôtel et de votre petit joyau, vous vous rincez l'œil mais aussi le portefeuille. Mais quand on aime, on ne compte pas ! Et puis il est toujours permis de rêver... !

Quand tombe la nuit et que les diadèmes brillent dans les vitrines

Quand la température tend vers les chauds câlins

Vous ne jouez plus au Monopoly, c'est pour de vrai

Un vœu à deux sous le pont Marie

4e arrondissement

Métro Pont-Marie

La légende veut que vous fassiez un vœu sous le pont Marie, dit aussi "pont des amoureux". Elle précise aussi qu'il sera exaucé. Cependant, vous n'avez pas le droit de dévoiler à la personne qui vous accompagne le contenu de votre souhait. Pour passer sous le pont, deux moyens : par voie fluviale (sur un bateau-mouche, une péniche, un radeau, en bouée ou n'importe quel autre type d'embarcation de votre choix), par la route (voie expresse Georges-Pompidou, poupou pidou !)

Aucun horaire n'est précisé dans la légende...

Votre vœu ne sera pas noyé dans la foule

Cela va de soi

Dans le port de l'Arsenal, y'a des marins qui...

4e arrondissement

Métro Bastille

Que font les marins d'eau douce dans le port de la Bastille ? Ils vont gentiment au fil de l'eau et quelquefois pêchent le gros... lot ! Car sur les pontons se promènent de jolies sirènes, souvent en tongs et sac à dos. Le port est aujourd'hui connu des touristes désireux de faire de petites croisières sur la Seine et les canaux en péniche. Certains plaisanciers jouent le jeu et acceptent de mener les sirènes... en bateau. Après de romantiques baisers sur le pont d'une pénichette, jetez l'ancre au café du Grand Bleu sur le port. Plongez-vous dans les lagunes d'un jus d'agrumes. Ou sucez une glace à l'eau en regardant rentrer les bateaux. Enfin, le petit jardin de l'Arsenal offre une vue imprenable sur ce havre de paix, au pied de la révolutionnaire colonne de Juillet.

À l'heure de l'apéritif
Juillet pour la colonne
Et plus... si affinités

"Le baiser de l'Hôtel de Ville"

4e arrondissement
70, rue de Rivoli
Métro Hôtel de Ville

La photographie du "baiser de l'Hôtel de Ville" évoque sans doute le cliché le plus romantique de Paris. Mais où Robert Doisneau s'était-il donc posté pour prendre au piège dans son Leica le couple d'amoureux aujourd'hui le plus populaire au monde ? Il était attablé à la terrasse du Café de l'Hôtel de Ville, aujourd'hui disparu. À vous de remettre au... goût du jour cette étreinte immortalisée à jamais. Prenez la pose contre les grilles de la bouche de métro, à hauteur du 70, rue de Rivoli, pour recevoir *votre* "baiser de l'Hôtel de Ville", le seul, le vrai, l'unique ! Demandez alors à un badaud, japonais de préférence, de se prendre au jeu : photographier le tout nouveau baiser de l'Hôtel de Ville.

En milieu d'après-midi
Pour les tenues vestimentaires
Reconstitution oblige

La veuve et son carnaval de courtisans

3e arrondissement
Musée Carnavalet. 23, rue de Sévigné
Métro Saint-Paul

Quel joyeux nom donné à l'ancienne demeure d'une veuve ! À l'âge de 25 ans, madame de Kernevenoy perdait en effet son mari tué à la suite d'un duel. Mais cette jeune femme était si belle qu'un long cortège carnavalesque de courtisans passait régulièrement lui tenir agréablement compagnie. Les prétendants, trouvant que son nom jurait trop avec son exquise beauté, décidèrent donc de la rebaptiser "la Carnavalet". Transformée aujourd'hui en musée de Paris, la demeure de la jolie veuve a gardé son surnom. Dès lors, l'histoire de ce lieu exige que l'on y passe encore du bon temps. Pour préserver la tradition, il est fortement conseillé de se livrer à des jeux coquins dans les couloirs du musée ou les allées du jardin. L'essentiel étant de se montrer discret, comme tentait de l'être la maîtresse des lieux. Profitez-en pour contempler le portrait de madame de Grignan, "la plus belle fille de France", réalisé par Mignard. Les portraits des plus grands écrivains romantiques peints par d'illustres artistes attiseront également votre curiosité.

De 10h à 17h40. Fermé le lundi

En hiver, les musées sont chauffés !

Surveillez le gardien !

Pointe de Bourbon

4e arrondissement

Métro Pont-Marie

Sur les berges de l'île Saint-Louis, à l'extrémité du quai Bourbon, un vieil arbre sert de refuge aux bergeronnettes grises, chevaliers-guignettes ou petits gravelots. Il regarde aussi passer à son pied colverts et poules d'eau. Comme cet arbre, on resterait des années sur ce bout de jetée où viennent s'échouer, deux à deux, les tourtereaux des quatre vents. Des bancs en pierre blanche servent de perchoirs aux inséparables venus se frotter le bec. Le site est paisible et la vue imprenable. La nuit, le lampadaire qui joue le rôle de phare des mers attire les yeux qui brillent. Un endroit très cool pour roucouler ! Pour y accéder, descendre les escaliers sous le pont Louis-Philippe ou sous le quai Bourbon.

Jusqu'au bout... de la nuit

Quand la lune brille

C'est le moment ou jamais !

Sous une pluie de bouquinistes, des amoureux...

5e arrondissement
Quai Saint-Michel
Métro Saint-Michel

Sous les premières pluies d'automne, une rangée de libraires, les pieds dans l'eau comme dans une rizière, germe le long du quai Saint-Michel. Daniel Halévy écrivait : "Une caractéristique commune au métier de paysan et à celui de bouquiniste, c'est la soumission aux intempéries." Et les amoureux alors ? Sous un vêtement de pluie ou un chapeau de paille, qu'il fasse chaud, froid, qu'il vente ou qu'il grêle, nous en trouverons toujours sur le quai Saint-Michel.

Tôt le matin pour éviter les bains de foule
Pour faire provision de lectures (et de baisers) pour l'hiver
Évitez quand même de vous embrasser sous leur nez !

Amour et Tournelle

5e arrondissement
Métro Maubert-Mutualité

Sous les parapets des bouquinistes du quai de la Tournelle, une courte descente pavée laisse glisser vos pas vers le petit port de la Tournelle (trois ou quatre péniches). Un banc de pierre se protège du soleil sous un magnifique arbre à fleurs blanches et vertes. Le banc se trouve à hauteur de la péniche joliment prénommée Léa, une péniche noire et rouge recouverte de plantes vertes. Sur votre gauche, levez les yeux au ciel. Miracle ! vous apercevez, par temps clair, les dessous de la robe de sainte Geneviève, mère protectrice de Paris. Ce petit banc est idéal pour lui fredonner vos insatiables ritournelles.

12h-14h
Sous une pluie de pollen
Ne cherchez pas midi à 14 heures, foncez !

Prends garde à ton jupon sur le pont des Arts !

6e arrondissement

Métro Saint-Germain-des-Prés

"Comme par hasard sur l'pont des Arts, le vent maraud le vent fripon, Prudence prends garde à ton jupon !" chantait avec malice Georges Brassens. Pour rester dans la variété française, tous les Gilbert, et autres artistes du "bécot", peuvent embrasser ici leur Nathalie sur les planches de bois qui enjambent la Seine. Mais ils ne seront pas seuls car le pont des Arts est très coté par les amoureux du monde entier. Parfois, il a plutôt l'allure d'un pont surchargé de touristes. La réputation de l'endroit n'est plus à faire, comme en témoignent les messages gravés au canif sur les bancs et les planches : "À toi Nathalie, la femme de ma vie" ou "À mon petit choupi que j'aimerai toute la vie". Hélas, les embouteillages de couples usent le charme de ce lieu.

Évitez le coucher de soleil, heure de pointe des amoureux. Privilégiez plutôt l'heure à laquelle sonne le carillon. L'écouter tout en étant bercé par la beauté du lieu et de votre "soleil" est un spectacle son et lumière à ne rater sous aucun prétexte.

Pour fuir la foule

Comme tout le monde

Place de Furstenberg

6e arrondissement

Métro Saint-Germain-des-Prés

Cette petite place pourrait être plus jolie et animée si la Mairie de Paris n'avait pas retiré le banc pour contraindre les sans-abri à ne plus s'y reposer. Les clochards ne font-ils pas bon ménage avec les couples d'amoureux ? Ou le romantisme et la beauté des lieux sont-ils réservés uniquement aux plus favorisés ? En tout cas, le résultat est triste car la place, malgré son magnifique catalpa, reste souvent déserte. On n'y fait que passer. Dommage car on s'y sent bien à l'abri du bruit des voitures. Planté en plein milieu, un lampadaire très parisien monte la garde avec sa torche pointée vers le ciel. La nuit tombée, il rappelle aux amoureux du monde entier que la place attend encore et toujours ses amants d'antan. Visitez également le charmant musée Delacroix, au 6, place de Furstenberg.

Dans la matinée

Même à la belle saison, il y a peu de touristes

Mais debout !

Sculptez vos baisers avec Rodin

7e arrondissement

77, rue de Varenne

Métro Varenne

Itinéraire bis(e) pour découvrir l'histoire de l'art : pour le plaisir des yeux et surtout des lèvres, découvrez les baisers d'Auguste Rodin. Tout d'abord, la prédestinée œuvre intitulée *Le Baiser* sert de préliminaires ou d'entrée en... matière. Pour l'initiation, cette sculpture constitue la première pièce du chemin de croix du parfait petit enfant... de cœur. Soient deux cœurs de marbre blanc fondus dans la masse froide animée par un baiser brûlant et endiablé. C'est le moment de tenir la pose et de provoquer votre premier baiser... poli.

Recommencez l'exercice de style devant les autres sculptures appelant un baiser. Vous y aideront alors *Adam et Ève, Paolo et Francesca, L'Éternel Printemps* (baiser bronzé). À l'étage *Daphnis et Lycéon* dans la chambre n° 9, *Les Métamorphoses d'Ovide* dans la 10. Vous y croiserez aussi un homme portant une femme et l'embrassant dans le cou. Accrochée au mur, *Vaine tendresse* promet une étreinte moins musclée... Les fantasmes seront ensuite réveillés par *L'Homme et sa pensée*.

Encore plus osés, *Les Bacchantes, La Chute d'Icare* et surtout le groupe *Bon Génie*. Pour finir, prenez la pose du mythique bronze *Roméo et Juliette* de 1902. Un balcon est prévu à cet effet. Qui plus est, il surplombe un magnifique jardin, idéal pour reprendre son souffle. À moins que vous n'en redemandiez ?

Dès 9h30

Journée ensoleillée conseillée

Camille Claudel se privait-elle ?

Place de la Concorde et Cours-la-Reine

8e arrondissement

Métro Concorde

La place de la Concorde est réputée pour être la plus belle place du monde. Est-il donc nécessaire de vanter ses charmes ? En revanche, ses visiteurs doivent savoir que sous Louis XVI, elle était le point de départ du Cours-la-Reine, la promenade galante la plus fréquentée d'Europe ! Décidée par Marie de Médicis, la promenade déroulait son flot de flâneurs et de cavaliers jusqu'à la place de l'Alma, en suivant la Seine. Les attelages faisaient demi-tour sur l'actuelle place du Canada. Dans les années 1860, en fin de journée après les spectacles, les amants s'y donnaient encore rendez-vous. Les billets doux caressaient les mains des marchandes de confiture et d'oranges qui jouaient le rôle de messagères. Les salutations fusaient, la coutume exigeait que l'on saluât même les inconnus... Mais si aujourd'hui il vous vient à l'idée de raviver les flammes du passé, vous devrez prendre garde de ne pas vous faire renverser par les nouveaux attelages à moteur. L'endroit n'est plus une promenade mais un grand axe routier où il ne fait pas bon errer. Enfin ! Au diable la nostalgie, les meilleurs moments n'ont-ils pas toujours une fin ? Il ne vous reste qu'à "noyer" votre chagrin sous le plus vieux kiosque musical de Paris, qui survit encore dans le jardin des Champs-Élysées. On l'aperçoit de la place de la Concorde.

La promenade peut se poursuivre, toujours selon la coutume, jusqu'à l'heure où le carrosse de Cendrillon se transforme en citrouille. Le grand monde aimait après cela faire quelques pas de danse, sous les lampions, au rond-point des Champs-Élysées. À vous de voir...

Sous la neige

Attention aux embruns des fontaines

Roulez un patin sur le parvis du Trocadéro

16e arrondissement

Métro Trocadéro

C'est de cet endroit, l'objectif pointé vers la tour Eiffel, qu'est réalisé le cliché le plus célèbre du monde. Combien de baisers pris sur le parvis ont-ils été immortalisés sur papier glacé ? Et combien de patins ont-ils été roulés entre les boîtes d'Orangina et de Coca Cola laissées par les touristes venus poser leurs pieds – ou leurs rollerblade – sur l'esplanade du Trocadéro ? Préparez aussi votre planche à roulettes...

Surfez entre les grandes vagues touristiques

Quand le parvis est gelé, cela glisse mieux !

Les patins font partie du décor !

Les escaliers de Montmartre

18e arrondissement

30-32, rue des Trois-Frères

Métro Abbesses

Même si l'amour donne des ailes, les escaliers de la Butte sont durs aux... amoureux. Alors, pour les moins courageux – ou les amoureux sans aile – le bas des escaliers n'est pas mal non plus. Particulièrement la première marche qui se situe entre le n° 30 et le n° 32 de la rue des Trois-Frères. Que nos amis amants, en voyage à Paris, se rassurent : une belle boîte aux lettres jaune a éclos à cet endroit précis, de façon à ce qu'ils puissent envoyer à leurs chers et tendres leurs pensées lointaines et proches à la fois. Les longs baisers ne dérangent pas. Au contraire, ils créent le charme du lieu. Vous faites alors partie du décor. D'ailleurs, attention, souriez ! Vous êtes filmés...

La nuit

Lorsque Montmartre se parfume

Évidemment !

Les canaux à vélo

19e arrondissement

Métro République

Grand itinéraire pour romantiques en cycles : tout d'abord, échauffez vos muscles sur le banc face au 42, quai de Jemmapes (à hauteur de l'écluse). Une fois les maxillaires rodés, roulez... une pelle sur la passerelle de la Douane. Halte ! Avez-vous un amour à déclarer ? Oui ? Alors déballez votre sac, comme Arletty l'a déjà fait à Louis Jouvet, sur la passerelle "Grange-aux-Belles", face à l'Hôtel du Nord. Après tant d'émotions et d'efforts, rincez-vous le gosier et l'œil avec une anisette au comptoir du mythique café de l'Hôtel du Nord. Enfourchez votre petite reine jusqu'au bassin du Combat. Passez sous le romantique petit pont et glissez-y un bécot pour la route. Votre échappée vous mène rue de Crimée. Le parc de La Villette se dessine à l'horizon. La foule applaudit votre performance car vous n'arrivez pas à vous départager : vos roues et vos lèvres sont collées. Toujours en suivant le fil de l'eau, sur la piste cyclable, filez vers Meaux via Pantin. Plus loin, la nature vous propose des petits coins invitant aux câlins...

Le dimanche de 14h à 18h : journée du cycliste et du piéton.

ou Pour pédaler (au) sec !

Ne vous dégonflez pas !

Une petite place... dans ton cœur

20e arrondissement

Métro Buzenval

Deux bancs, une terrasse de café, quelques arbres : de quoi ravir plus d'une paire de langues ! Cette modeste mais si belle composition, comparable à un brin de muguet architectural, a pris pied dans un souriant quartier populaire du 20e arrondissement, au delta de la rue Michel-de-Bourges et de la rue des Vignoles. Le petit café porte l'étrange nom de 20e Art. Bizarre, non ? Et si c'était l'art de la bise ? Venez vous en rendre compte par vous-mêmes. L'endroit respire le calme, le linge sèche aux fenêtres. Une petite placette à conseiller pour de petites lichettes bien… placées !

18h-21h

À l'époque du muguet (n'est-ce pas Sandrine ?)

Un papy du quartier a l'œil affûté…

Les cabriolets de la RATP

Bus nos 29 et 56

Seules deux lignes d'autobus sont équipées de véhicules où l'arrière est découvert. La 56, qui va de la porte de Clignancourt jusqu'au château de Vincennes et la 29, qui démarre à la gare Saint-Lazare et s'arrête porte de Montempoivre. À défaut de posséder une voiture cabriolet, vous pouvez toujours emprunter ce type de transport en commun. Niveau frime cela décoiffe peut-être moins, mais côté romantique, c'est le top des transports de ville. Courez vite après ces bus car ils disparaissent petit à petit pour être remplacés par d'autres… sans signes extérieurs de tendresse.

Aux heures creuses

Attention que votre joli chapeau ne s'envole pas

Cela est prévu pour, non ?

2

Discrétion assurée

Où doivent se cacher les amants traqués ? Au fond de quel passage ou sous quel porche ne risquent-ils pas d'être démasqués ? Au milieu de quelle foule anonyme peuvent-ils demander asile ? Le couple fougueux en fugue cherche à tout instant une nouvelle planque afin de pouvoir mordre sauvagement dans les lèvres impatientes d'un amour impossible. Mais l'amour impossible est épié ! Après votre passage, les lieux qui suivent resteront muets comme des carpes. Discrétion garantie.

Village Saint-Paul

4e arrondissement

Métro Saint-Paul

Construit sur les anciens jardins du roi Charles V, le village Saint-Paul a un petit air vieillot. Le dimanche (après la messe), il rassemble ses fidèles brocanteurs ; les autres jours de la semaine, ses éternels amoureux. Autour d'une cour pavée se mêlent des dames curieuses (c'est aussi le nom d'une des boutiques), des peintres, ébénistes, restaurateurs et gourmets. Vous y trouvez aussi un banc, un lampadaire et trois arbres, de quoi passer un idyllique moment dans les profondeurs du Marais. Pour y accéder, empruntez le chemin pastoral jusqu'au n° 7 de la rue de l'Ave-Maria ou la petite vicinale au n° 26, rue des Jardins-Saint-Paul.

De 11h à 19h sauf mardi et mercredi

Sous un grain… de folie

Tranquille !

Dans l'entrebaillement des plus jolies portes cochères

4e arrondissement

Deux propositions (honnêtes !) :

Impasse Guéménée

28, rue Saint-Antoine

Métro Bastille

Si par hasard, vous vous promenez sur les trottoirs de la rue Saint-Antoine et qu'une envie pressante de vous bisouiller vous titille les lèvres, laissez-vous happer par l'impasse Guéménée. Au n° 6, une porte cochère bleu turquoise lance un appel à la tendresse. Idem pour sa voisine de couleur marron, joliment coiffée d'un chapeau sculpté. Le temps d'une pirouette virevoltante et vous vous retrouvez devant la charmante porte du n° 5.

Fin de matinée

Rien n'est prévu pour vous abriter en cas d'orage

Attention à la caméra au-dessus de l'une des portes

Rue Chanoinesse

Métro Cité ou RER Saint-Michel–Notre-Dame

À l'ombre des jupons de pierre de Notre-Dame, la rue Chanoinesse vous ouvre ses portes magnifiques : au n° 12, la porte en bois sculpté attend qu'on la regarde et qu'on s'y attarde un moment ; au n° 17 : porche bleu en retrait de la rue, charmante entrée pavée avec un arbuste qui fait discrètement le guet pour éviter toute rencontre malencontreuse ; au n° 4 : sans doute la plus jolie porte de Paris. Enlovée de glycines, elle déroule son tapis fleuri sur le trottoir et une partie de la rue.

Fin d'après-midi

Nécessairement !

Même si vous avez mauvaise haleine, le parfum des fleurs masque votre handicap !

Bouche à bouche au fond de la piscine

5e arrondissement

Piscine du quartier Latin. 19, rue de Pontoise

Métro Maubert-Mutualité

Le fond du bassin de la somptueuse piscine du quartier Latin garantit un mutisme on ne peut plus profond (2,60 mètres) ! Vos baisers resteront aussi secrets qu'un trésor échoué au fond des lagunes, excepté s'ils produisent trop de bulles... De retour à la surface, car les baisers subaquatiques ne sont jamais les plus longs, vous succomberez au charme de l'architecture : les cabines, encore gardées par des garçons de bains, surplombent le bassin. De nombreux réalisateurs de cinéma ont choisi cette piscine pour y pêcher des scènes romantiques. Une séquence du film *Bleu* y a été tournée. Emmanuelle Béart a également évolué dans les eaux limpides de la piscine pour *Nelly et M. Arnaud...*

Nocturne de 21h à minuit avec douce lumière et pathétique musique. Plus de couples dans cette tranche horaire

De janvier à mars, les eaux sont plus calmes

En apnée !

Derrière l'église...

5e arrondissement
Cloître Saint-Séverin
Métro Saint-Michel

On ne risque pas de vous trouver ici ! Car l'entrée du "petit paradis" est gardée par... l'Église. Pour y accéder, un guide est nécessaire. Oh, mais pas si vite ! Armez-vous de patience car il faut attendre le dimanche après-midi pour s'y rendre. Les cloches de l'office vous annonceront le bon moment. Le sas du lieu magique n'est autre que l'église Saint-Séverin. Entrez, côté rue des Prêtres-Saint-Séverin, prenez la main de votre aventurier(e) et ne la lâchez pas lors de la traversée fantastique. En allant en diagonale sur votre droite, vous apercevrez une plus petite porte. Lorsque vous l'ouvrirez, des gargouilles vous accueilleront. Elles surveillent les allées et venues dans cet ancien charnier (où des ossements de morts étaient déposés avant le règne de Louis XIII). Mais ne fuyez pas ! Car aujourd'hui, le "paradis" est un splendide cloître doté de petits bancs à l'ombre de deux gigantesques marronniers. La cour est paisible et bien isolée. Les regards de la rue ne peuvent percer. Cependant, pour que ce petit paradis ne soit pas pour toujours fermé à clef, restez aussi discret que lui !

Dimanche après-midi avant 17h

Endroit suffisamment méconnu pour se permettre d'y fricoter l'été, à l'abri des touristes...

Les gargouilles vous ont à l'œil !

Ici Gît-le-Cœur

6e arrondissement
Rue Gît-le-Cœur
Métro Saint-Michel

Gît-le-Cœur ! Un nom de rue idéal pour s'embrasser ! Le cuisinier Gilles le Queux, d'où "Gît-le-Cœur", en est à l'origine. À vous, les cuisiniers du cœur, de faire monter la sauce et de la touiller onctueusement sous le porche du n° 10. En sus, à l'angle de cette appétissante entrée (en matière), la rue de l'Hirondelle vous entraîne vers des cieux enchanteurs. Au bout de celle-ci, des escaliers typiquement parisiens s'envolent vers un ravissant passage donnant sur le boulevard Saint-Michel. Au n° 20 de la rue de l'Hirondelle, un autre porche s'impose pour une pause. Et derrière vous, le Delhy's Hôtel vous promet de délicieux moments. Partez à tout prix sillonner les rues sinueuses de ce petit brin de quartier reculé de Saint-Germain-des-Prés, si bien sûr le cœur vous en dit !

En fin de journée (attention, passage fermé de minuit à 6h)
Quand Paris vous prend dans ses bras
Vous n'attendez que ça !

Les quais de gare les plus romantiques

Les baisers les plus secrets restent encore ceux donnés sur les quais de gare. Ils peuvent se perdre dans la foule, être masqués par les trains ou d'autres amoureux. Attention : un baiser peut en cacher un autre !

Gare Montparnasse

Bienvenue à la gare Montparnasse ! Les quais 11 à 15 amarrent les trains de banlieue en tôle grise. Précisément ceux qui "se moquaient de toi, quand on avait à peine quinze ans, que nos cheveux volaient dans le vent et que tu m'as dit : je t'aime, pour la première fois". Mais "c'est bien loin tout ça" ! Certainement, mais ces trains de banlieue aux allures rétro circulent toujours. Ils

déchargent tout au long de la journée leurs flots de baisoteurs ou baisoteuses (voir lexique) qui n'attendent même pas l'arrêt total du véhicule pour se précipiter dans des bras grands ouverts.
À la sortie du lycée comme le précisait Michel Delpech
Pour prendre un chocolat chaud ensuite
Que peut-on faire de mieux sur un quai de gare ?

Gare de Lyon

Le train de nuit Paris-Venise siffle sur son quai beaucoup plus d'amoureux que d'autres. Et même si vous ne partez pas ce soir, rien n'empêche de proposer un rendez-vous galant sur son quai en attendant de traverser tous les deux le pont des Soupirs.
Sachez que le numéro des quais change tous les jours : parfait pour les amants qui n'aiment pas la routine. Seulement, il faudra tout de même être ponctuel ! Même si certain(e)s ont la fâcheuse habitude de se faire attendre, les trains, eux, partent et arrivent toujours à l'heure, c'est bien connu.
Horaires d'hiver : trains au départ, 20h06. À l'arrivée, 8h37 (horaires valables du 24 septembre au 1er juin)
Nostalgie oblige !
Laisse les gondoles à Venise et prends-moi la main

Baisers volés sur bateaux-mouches

8e arrondissement
Sous le pont de l'Alma
Métro Alma-Marceau

Au milieu d'une envolée de mouettes rieuses en cavale, lorsque le vent souffle trop fort sur la côte normande et qu'elles viennent, comme vous, se réfugier à Paname, laissez se perdre un baiser dans la foule anonyme d'un bateau-mouche. Rien de tel qu'un bon bain de foule pour oublier son identité d'amant recherché. Les tickets pour les croisières de rêve sont à retirer sous le pont de l'Alma.

Dernier conseil avant d'embarquer : ne vous laissez pas prendre en boîte par le photo-filmeur de la compagnie : les photos-souvenirs seront ensuite affichées sur un tableau et vous seriez repérés !

Le week-end de 11h à 17h

Plus il y a de fous, plus on s'embrasse !

C'est le but de la manœuvre !

Musée de la Vie romantique

9e arrondissement

9, rue Chaptal

Métro Blanche

Sur les pentes du quartier Saint-Georges, à l'aube du Second Empire, un petit monde de poètes, d'écrivains, d'acteurs et de musiciens gravite autour de la chaleureuse demeure d'Ary Scheffer, illustre peintre de l'époque romantique (de 1820 à 1850). Parmi eux, sous la véranda, Chopin, d'un doigté haut de gamme, distrait George Sand. Comme tous les vendredis soir, Delacroix, Ingres, Liszt, Lamartine sont également de la partie.

Aujourd'hui, une statue représentant Chopin au piano nous plonge dans l'ambiance d'autrefois. Un univers que le conservateur du musée s'efforce de préserver jusque dans le jardin, très XIXe siècle. Campanules, digitales, clématites et roses anciennes parfument la cour pavée. Vous aurez l'impression de faire un bond en arrière de cent ans, en plein cœur des années romantiques. Alors pour que perdure la tradition, rendez-vous tous les vendredis.

10h-12h

Pour les roses anciennes

OK ! Mais romantique, SVP !

Sous la cascade du bois de Boulogne

16e arrondissement

Bois de Boulogne

Métro La Muette ou RER Avenue-Henri-Martin

Dans les meilleurs films d'aventures, les cascades cachent des choses magiques. Mais que se passe-t-il derrière celle du bois de Boulogne ? Est-ce le cimetière des éléphants de Paris ? Pas du tout, il s'agit tout simplement du repaire des couples en manque d'exotisme et de ceux qui fuient la ville pour se perdre dans la forêt vierge des câlins. Alors enfilez vite votre string, et courez vers de nouvelles aventures...

Après avoir visionné un grand film d'aventures
À cause du string
Un rideau d'eau est tiré sur votre intimité

Les barques du bois de Boulogne

16e arrondissement
RER Avenue Henri-Martin

Tandis que vous, Monsieur, êtes, pour l'occasion, coiffé d'un canotier, votre coéquipière d'embarcation porte une jolie roble blanche et s'est munie d'une ombrelle en dentelle, qu'elle fait tourner sur son épaule d'un geste printanier. La panoplie est ainsi complète, des parfaits romantiques "les pieds dans l'eau". Car les barques ne garantissent pas une étanchéité totale. Bonne raison néanmoins pour vous, Monsieur, de remonter les manches de votre chemise, de saisir les pieds mouillés de votre belle et de les lui réchauffer par de langoureux baisers. Amarrez votre embarcation à la petite île, au milieu du lac. Prévoyez un pique-nique sur la pelouse. Il vous faudra néanmoins encore "ramer" pour qu'elle daigne, enfin, vous embrasser...

Avant le pique-nique de midi
Pour que le canotier serve au moins à quelque chose
Éloignez-vous des berges pour ne plus être visible

Trois villas et un hameau

16e arrondissement
Métro Exelmans

Les trois villas et le hameau Boileau, perdus au milieu du 16e arrondissement, aurait pu être le titre d'une saga télévisée de l'été. En fait, c'est le décor d'une belle et grande histoire d'amour... la vôtre ! La première partie se déroule villa Meyer, où vous vous embrassez d'entrée de jeu. Ici, le passage fleuri relie, comme sur une grappe, de magnifiques maisons avec leurs petits jardinets. Le deuxième épisode s'intitule villa Cheysson. Le lierre, les hortensias, les cerisiers et d'autres splendides demeures donnent envie d'y établir un amour solide. Troisième séquence : villa Dietz-Monin. Ici, vous avez l'impression d'être sur une île. (L'entrée des villas s'effectue par l'avenue Georges-Risler, au niveau du 25, rue Claude-Lorrain.) Pour la grande scène finale de ce film qui n'appartient qu'à vous, on vous voit finir vos vieux jours dans le hameau Boileau. En plein cœur du "village", vous êtes assis au milieu du rond-point La Fontaine, à la croisée de l'impasse Racine et de l'avenue Molière, enlacés comme au premier jour... Fin.

De 15h à 17h30

Floraison abondante

Attention, propriétés privées !

Délicieuses bouches... de métro

Bouche de métro ! N'est-ce pas un nom qui appelle le baiser ? Ces lieux magiques, qui font sortir de terre l'amant ou la maîtresse que vous venez cueillir, fleurissent de rendez-vous galants. Certaines sorties de métro, à l'instar de celles sculptées par Guimard, incarnent plus que d'autres le romantisme parisien :

Métro Abbesses

La place, au milieu de laquelle le métro expulse de son ventre ses usagers enterrés à 63 mètres de fond, est une des plus séduisantes de Paris. Derrière elle, un jardin fleuri offre aux jambes meurtries par une longue attente un repos bien mérité et... agrémenté de doux massages !

Métro Alexandre-Dumas

Le terre-plein central du boulevard de Charonne (à hauteur du n°115), bordé d'arbres, est relativement calme pour un grand axe.

Métro Blanche

"J'habite depuis deux mois place Blanche. L'hiver est des plus doux, et à la terrasse du café vouée au commerce des stupéfiants, les femmes font des apparitions courtes et charmantes...", écrivit

André Breton qui, dans les années vingt, retrouvait ses amis au Cyrano, 82, boulevard de Clichy... ne le cherchez pas, c'est aujourd'hui un fast-food.

Métro Lamarck-Caulaincourt

La sortie débouche directement sous les escaliers de Montmartre. Un magasin de fleurs semble avoir poussé là, spécialement pour vous, qui tapisse les lieux de lys et de myosotis.

Métro Porte Dauphine

Messieurs, dans l'espoir d'une singulière promenade au bois, donnez rendez-vous à votre miss porte Dauphine. La chance d'obtenir ce que vous êtes venu chercher est forte tant le cadre est somptueux. À vous de faire le reste !

Métro Saint-Michel

La bouche qui donne sur la place Saint-André-des-Arts est superbe. La terrasse du café la Gentilhommière permet de prendre un pot immédiatement, sans chercher un meilleur endroit. Sur place, les chaises tressées, la colonne Morris et quelques arbres font de l'endroit une place romantique à souhait.

Métro Saint-Paul

La pollution vous indiffère mais vous aimez les lieux romanesques ! Alors cette sortie de métro est la vôtre. Le soupir des pots d'échappement en pleine figure ne vous empêchera pas de goûter au charme de la petite placette avec son manège.

3

Les baisers les plus fous

Que serait l'amour sans un grain de folie ou une pointe de fantaisie ? Pourquoi pas une aventure sur les toits de Paris ou un éclat de rire devant les glaces déformantes du Jardin d'Acclimatation ? Autant d'escapades insolites pour ceux qui veulent sortir des sentiers battus. Mais la folie brave parfois des interdits. Aussi chacun doit-il peser le pour et le contre de quelques baisers, bien innocents mais parfois "illégaux"... Parmi les baisers fous apparaissent aussi les baisers de "l'emmerdeur", que vous goûterez en fin de chapitre.

Sur les toits

Une fois la lune pleine, sur vos pattes de velours pour éviter de faire craquer le parquet ciré, décrochez l'échelle suspendue aux murs de la cage d'escalier. Soulevez alors la trappe du plafond et bondissez tels deux chats sur le zinc bleuté des mystérieux toits de Paris. En clair (de lune), montez roucouler au-dessus des gouttières à la lueur des étoiles et des lampadaires. Mais attention, une escapade nocturne n'est pas sans risque. Soyez prudents. Ne vous aventurez pas par temps de pluie. Évitez, jeune homme, de sauter de toit en toit pour témoigner l'amour que vous inspire votre "féline" ; vous avez tellement d'autres tours dans votre sac de petit ramoneur !

Demandez à votre chat ! S'il ne daigne pas vous répondre, suivez-le. Si vous n'en possédez pas, suivez celui du voisin

Dans la moiteur des nuits

Et même plus : "Quand les monuments s'éteignent, il y a des gens qui montent sur les toits et qui font la fête. Derrière les cheminées ils s'embrassent, et quand il fait bon, ils font l'amour sur les terrasses", comme le décrit Hippo à Nathalie dans le film Un monde sans pitié

Tandem de bécoteurs

3e arrondissement
93, boulevard Beaumarchais
Métro Saint-Sébastien-Froissart

Quel est le baiser le plus fou parmi les plus fous ? Celui que l'on se donne à bicyclette... sous un masque antipollution ! Le plus fou mais le plus triste ; de la folie pure même, contrairement à l'air que l'on respire ! Et pourtant, les baisers sur deux roues peuvent être très drôles. Précisément sur "un cycle de collection et d'exception", non pas de chez Moulineau, mais de chez Cycl'Art, 93, boulevard Beaumarchais. Et si à Paris, à vélo, on rattrape les autos, à Paris, en tandem, on peut aussi se rouler des pelles ! Vous voulez la technique ? Le premier, qui pédale à l'envers, est assis dans le sens contraire à la marche (comme dans le train) et le second dirige les opérations.

Le matin à l'aurore ou les jours de grève de la RATP (rassurez-vous, vous avez l'embarras du choix)

Car le taux de pollution atteint des pics moins élevés (et c'est plus facile pour les gravir...)

Mais prudence, car les automobilistes parisiens sont fâchés avec les cyclistes

Rendez-vous, comme avant, à la sortie de mon lycée !

4e arrondissement
14, rue Charlemagne
Métro Saint-Paul

Ah les années lycée ! Qu'y a-t-il de plus beau qu'un couple d'adolescents s'embrassant à la sortie d'un établissement scolaire ? Qu'en pensez-vous, monsieur le Proviseur ? Les jolies cours de récréation, les préaux ou les porches ne sont-ils pas des endroits idéaux ? Jupe droite bleu marine, souliers noirs, couettes, petit cartable, soupçon de rouge à lèvres... vous êtes, mademoiselle, enfin prête pour votre premier baiser. Votre cœur bat la chamade. Attention, il arrive ! À la sortie du lycée Charlemagne, il vous attend contre la séduisante fontaine. L'eau fraîche, chacun le sait, est le complément naturel de l'amour. Sacré Charlemagne !

À la sortie des cours

Retrouvez les frissons de la rentrée des classes

Fais gaffe, v'là l'Principal !

À l'eau ! Rendez-vous place Saint-Michel

6e arrondissement
Fontaine Saint-Michel
Métro Saint-Michel

Rien de plus classique que de se rencarder place Saint-Michel. Or, rien ne semble prévu pour s'asseoir, en dehors des quelques bittes en béton délimitant la place. Pourtant, si vous regardez bien, il y a des places assises et, qui plus est, toujours libres. Les amoureux préfèrent attendre debout plutôt que de s'asseoir sous les trombes d'eau que lancent dans la fontaine deux anges de pierre aux corps de lions. Essayez, c'est très amusant ! Mais n'oubliez pas de mettre votre guide à l'abri, il peut encore vous rendre de grands services !

Bain de minuit !

Pour ne pas attraper froid

Afin de récompenser l'exploit

Où offrir un énorme bouquet de fleurs ?

8e arrondissement
8, rue d'Anjou
Métro Madeleine

Au 8, rue d'Anjou vécut Marie Kalergis, ravissante aristocrate russe. Après avoir mis sa fille en pension au couvent des Oiseaux, elle profita pleinement de la vie parisienne en compagnie de sa cousine, Lydie Nesselrode et de sa meilleure amie la princesse Nadedja Narischkine. L'argent n'étant pas un problème, il lui arriva de commander, à l'occasion d'une réception, pour 80 000 francs de fleurs, soit l'équivalent de... 44 ans de salaire d'un ouvrier relativement bien payé (environ 5 francs par jour). L'endroit mérite donc bien qu'on y livre encore et toujours son amour fleuri.

En début de soirée
Car les rues sont peu fleuries
Vous l'avez mérité, non ?

Sur la bouche et dans le Palais

8e arrondissement
55, rue du Faubourg-Saint-Honoré
Métro Concorde

Au XVIIIe siècle, le riche financier Beaujon avait pour lit une énorme corbeille en osier, suspendue comme un hamac à quatre arbres plantés au milieu de sa chambre. Mais l'homme était un habitué des idées les plus saugrenues. Aussi aimait-il se faire bercer par de séduisantes dames... Aujourd'hui, sa demeure n'est rien d'autre que... la Présidence de la République française ! Alors, pensez bien qu'un petit baiser, abandonné dans la cour du palais de l'Élysée, ne troublera pas cette folle demeure qui en a vu d'autres.

Arrivez aux aurores, il y a de nombreux (a)mateurs.
À l'occasion des Journées du Patrimoine
Qu'en pensez-vous ?

La grande histoire du 25, avenue des Champs-Élysées

8e arrondissement
Métro Franklin-D.-Roosevelt

Thérèse Lachmann, modeste jeune femme d'Europe orientale, s'installa à Paris en abandonnant mari et enfant. À peine arrivée, elle mit sur la paille le pianiste Hertz, puis tomba malade. Victime d'un malaise à hauteur de l'actuel n° 25 des Champs-Élysées, elle se promit, en reprenant ses esprits, de devenir richissime et de faire construire à cet emplacement le plus somptueux hôtel particulier de Paris. Pari gagné ! Elle séduisit le marquis de Païva qui lui offrit, sitôt la belle épousée, l'hôtel que l'on peut encore visiter aujourd'hui. La porte en bronze a été sculptée par Legrain ; les salons abritent des tableaux de Baudry et des sculptures de Dalou. À voir : l'escalier en onyx qui inspira à Delacroix le célèbre aphorisme : "Ainsi que la vertu, le vice a ses degrés." Le lieu atteint des sommets de mégalomanie. Les réceptions de la marquise étaient sans égales dans Paris.

La marquise de Païva jeta plus tard son dévolu sur le comte de Henckel de Donnersmarck, le jeune cousin millionnaire de Bismarck. Le marquis se donna la mort et la marquise devint comtesse. Du demi-monde au grand monde, il n'y avait qu'un pas ; encore fallait-il savoir le franchir. Thérèse Lachmann se retournerait dans sa tombe si elle savait qu'aujourd'hui le n° 25 abrite… un bureau de change ! Quant à vous, messieurs, si vous êtes "près de vos sous", méfiez-vous des dames qui s'évanouissent trop facilement devant cette adresse. Mais peut-être celle que vous croiserez n'aura-t-elle d'autre désir qu'un tendre bouche à bouche ?

Le matin sans prendre son petit déjeuner pour céder ainsi plus facilement à un éventuel malaise
Par jour de grosse chaleur, pour la même raison
Bouche à bouche !

Dans un arbre, ça t'branche ?

9e arrondissement

Métro Trinité

Quelle est la différence entre un arbre des villes et un arbre des champs ? Il est interdit de grimper dans le premier. Est-il plus faible qu'à la campagne ? Est-ce à cause de la pollution ? Nos chaussures sont-elles plus corrosives que les gaz d'échappement ou la fumée des usines ? Non ! Mais alors pourquoi ? Parce que c'est comme ça ! Dommage... car le *Pterocarya Fraxinifolia* invite à toutes les folies. Âgé de plus de 120 ans, ce vieil arbre prie en pliant ses énormes branches devant la superbe église de la Trinité pour qu'un jour deux amoureux viennent roucouler dans le creux de ses bras.

Tôt le matin

Pour se dissimuler derrières ses feuilles naissantes

Cachez-vous bien, voilà le gardien !

Un baiser, et qu'ça trotte...

12e arrondissement

Bois de Vincennes

Métro Château de Vincennes et bus 112, arrêt Cartoucherie

Que diriez-vous d'une balade à cheval dans le bois de Vincennes avec votre amazone ? N'hésitez pas un instant ; sautez sur l'occasion, puis sur votre cheval... Votre reine bien en main, glissez-lui délicatement un bisou dans le cou. Parfois, il vous faudra soulever sa belle et longue crinière pour y enfouir vos lèvres brûlantes de désir. Les pas cadencés de l'animal vous amèneront, au galop, vers des sensations royales. Après tout, le prince sur son cheval blanc n'est-il pas celui qu'attendent toutes les petites filles ? Alors, tenez-vous prête et guettez votre amour galopant, venu vous cueillir pour partager sa selle, au centre équestre de la Cartoucherie.

Si les chevaux vous font peur, repliez-vous tout simplement sur le Poney-Club du Relais du Bois, route de Suresnes dans le bois de Boulogne.

9h30-11h

Comme dans les contes de fée, sous la blanche neige

Uniquement dans le cou

Pluie de bisous au parc André-Citroën

15e arrondissement
33, rue de la Montagne-de-l'Espérou
Métro Javel

Même si prendre une douche sous les jets d'eau du parc André-Citroën est interdit, certains se mouillent à enfreindre le règlement pour aller chanter, avec ou sans parapluie, les grands classiques : *It's raining again* de Supertramp ou *I'm singing in the rain*, comme Gene Kelly. Il faut dire que la tentation est grande : contrairement aux autres jets d'eau de Paris, ceux-là n'ont pas de bassin. Ils jaillissent d'une dalle posée à même le sol. Les amateurs de pieds nus s'en donnent à cœur joie. Ils peuvent ensuite aller se sécher dans les deux serres qui jouxtent les jets d'eau. Sentez comme les eucalyptus fleurent bon ! Toujours sous la serre, deux petits bancs en bois cultivent l'amour torride. Choisissez de préférence le banc sous les arbres à palmes. Exotisme oblige !

Horaires d'ouverture de la douche interdite : du lundi au vendredi, 7h30-19h30 ; week-end et jours fériés : 9h-19h30
Quand le drapeau est vert sur toutes les plages de France
Chantez "I'm kissing in the rain"

Baisers déformés

16e arrondissement
Jardin d'Acclimatation, bois de Boulogne
Métro Les Sablons

Vivez de merveilleux éclats de rire devant les glaces déformantes du Jardin d'Acclimatation de Paris. Devenez en un instant Laurel puis Hardy. Vos lèvres seront tour à tour minces, pulpeuses, charnues, ratatinées ou boursouflées, selon le miroir choisi.

10h-18h30
Découvrez vos bras et vos jambes
Même déformé(e), n'est-il (elle) pas le (la) plus beau (belle) ?

Comme Louis XIII, tous dans la Seine !

16e arrondissement

Métro Passy

Louis XIII n'avait pas froid aux yeux. En compagnie de son fils, il se baignait au large du quartier de Passy. En effet, au XVIIe siècle, la Seine était à la mode. Les Parisiens n'hésitaient pas à se baigner dans le fleuve en plein cœur de la ville, quelquefois complètement nus ! Ces nudistes avant l'heure étaient pourtant passibles de coups de bâtons et d'une promenade obligatoire dans les rues de Paris... en chemise. Jacques Chirac, ancien maire de Paris, et Ségolène Royal, ex-ministre de l'Environnement, doivent toujours montrer l'exemple. Tous deux avaient promis que les efforts de dépollution de la Seine se conclueraient par un bain dans le fleuve. Pour le moment, il serait fou de tenter d'y plonger et encore plus de s'y embrasser. Ou alors en fermant la bouche, mais quel intérêt ? Une bouche que certains auraient peut-être dû fermer avant de faire des promesses qui, comme souvent, tombent à l'eau !

L'eau est toujours fraîche

L'été, tant qu'à faire

Attention aux sirènes !

En robe de mariée dans une cabine d'essayage

18e arrondissement

Tati, 5, rue Belhomme

Métro Barbès-Rochechouart.

Sans obligation d'achat ni engagement auprès de votre "mannequin" préféré, imaginez, en costumes, ce que serait votre baiser nuptial. La cérémonie a lieu dans les cabines d'essayage de Tati ou dans les magasins spécialisés : Pronuptia, 66, boulevard Raspail, 87, rue de Rivoli (4e) ou 16, rue Duban (16e), Rêve d'un jour, 33, rue d'Amsterdam (9e) ou encore Ronald Joyce, 5, rue d'Hauteville (9e).

Au crépuscule de votre vie de célibataire

Évidemment

N'oubliez pas de fermer le rideau de la cabine

Baiser caricaturé

18e arrondissement
Place du Tertre
Métro Abbesses et funiculaire

Sur la place du Tertre, vos baisers artistiques peuvent être immortalisés sur papier Canson ! Car vous trouverez toujours un caricaturiste désireux de vous allonger le nez au fusain, de vous gonfler les yeux, les lèvres, ou de faire ressortir au feutre vos taches de rousseur. Mais la pose est plutôt agréable car elle vous laisse le temps d'apprécier un piou, version longue ! En outre, au lieu d'exposer sur le meuble de la salle à manger le baiser "tiré à quatre épingles" de votre mariage, vous pourrez exhiber une léchouille sortie tout droit d'une bande dessinée dont vous serez les héros...

En fin de journée, les détails apparaissent moins

Lorsque Montmartre envoie ses touristes se faire tirer le portrait sur les pistes de ski

Maintenez la pose et ne bougez pas !

Le mur des "je t'aime"

18e arrondissement
Square des Abbesses, place des Abbesses
Métro Abbesses

Les amoureux avaient déjà leur fête, la Saint-Valentin. Aujourd'hui, ils possèdent leur lieu de rencontre : le mur des "je t'aime" au pied de Montmartre. S'y retrouvent placardées, gravées, déclinées, des tonnes de "je t'aime" conjugués dans toutes les langues. En bon disciple de Phileas Fogg, Frédéric Baron, le concepteur, rêvait d'un voyage autour du monde en 80... "je t'aime". À défaut de partir, il a demandé à son frère d'écrire la phrase magique en français, puis à ses voisins arabes, portugais, russes... d'en faire de même dans leurs langues respectives. Après avoir poussé maintes portes – en particulier celles des ambassades – il a récolté trois gros classeurs, soit une moisson de 311 "je t'aime". À vous, aujourd'hui, de vous frotter contre ce mur de *Assavakkit ; Munsmawa ; Te iubesc ; Ndakuyanda ; Rojai ju…* Un mur qui lie et… délie les langues !

8h du matin, pour éviter les touristes. Attention au décalage horaire

Bien qu'il n' y a pas de saison pour dire "je t'aime"!

Le petit square est bien caché

Valse de galoches à la mairie du 20e arrondissement

20e arrondissement
6, place Gambetta
Métro Gambetta

S'il y a, à Paris, une mairie qui incite à fricoter, c'est bien celle du 20e ! Sous le Second Empire, l'Ile d'Amour, l'illustre bal populaire de Belleville, faisait ici valser les cœurs. Aujourd'hui, la mairie du 20e arrondissement, qui a pris sa place, les unit ! Alors quelle robe mettre ? Celle pour danser ou celle pour se marier ? Essayez les deux !

12h pour la robe de mariage et 22h pour la robe de soirée

Du 15 mai au 15 juillet

Dites : oui !

Bizzz glissantes…

20e arrondissement
84, rue des Couronnes
Métro Couronnes

L'expédition pour atteindre le sommet des toboggans de la colline de Belleville commence au pied des escaliers situés face au 84, rue des Couronnes. Après vous être mis en cordée (main dans la main), grimpez ! Arrivés presque au sommet, sur votre droite, la roche (le béton pardon ! nous sommes dans le nouveau Belleville…) épouse la forme d'un petit nid d'amour. Sur votre gauche, trois toboggans sont installés à l'entrée du parc de Belleville. Il n'est plus temps de faire demi-tour. Accrochez-vous bien l'un à l'autre (l'un de vous descendra dos à la pente) et laissez glisser votre langue le plus longtemps possible.

Si vous avez des enfants, demandez-leur d'aller s'amuser au football avec les petits champions du quartier. L'ambiance est assurée, et la vôtre plus intime. (Autres toboggans dans le parc de La Villette ou à l'Aquaboulevard si vous n'êtes pas rassasiés.)

De 8h30 à 19h. Évitez le week-end et le mercredi car vous vous sentirez obligés de laisser passer les plus petits que vous

Pour mouiller votre pantalon et sauter dans la boue

♥ *Des petits monstres peuvent surgir à tout moment*

Sur ton cheval de bois

7e, 12e, 16e, 18e et 20e arrondissements

Aux derniers temps de la valse des chevaux de bois, embrassez votre cavalièr(e) ! Au rythme de l'orgue de Barbarie ou de *Voulez-vous danser grand-père*, le bal des attractions pour petits et plus grands se tient sur la place de la Nation, au parc de La Villette, au pied du Sacré-Cœur ou de la tour Eiffel... Tournez manège !

17h

Quand la nuit froide commence à tomber

♥ *Vous êtes observés par les enfants*

Les baisers de l'emmerdeur

Devant la Joconde

1er arrondissement

Musée du Louvre

Métro Palais-Royal

Vous qui rêvez d'avoir autant de succès que la *Joconde*, devenez les auteurs du baiser le plus photographié du monde. Il suffit de vous interposer entre elle et les touristes qui la mitraillent de leurs appareils photo et Caméscope.

14h-17h

Juillet

♡ *Les blagues les plus longues sont toujours les meilleures*

Devant l'entrée de la Brigade des mineurs

1er arrondissement
Préfecture de police, 12, quai de Gesvres
Métro Châtelet

Madame ou mademoiselle, vous paraissez plus jeune que votre âge, au point de ressembler à une adolescente, voire à une fillette. Passez donc votre jupe écossaise, vos collants blancs et faites-vous des couettes. Monsieur, munissez-vous d'une moustache ou d'une barbe postiche, d'un grand imperméable beige, grisez vos cheveux et essayez un nouveau jeu avec votre partenaire : devant l'entrée de la protection des mineurs, tentez de "piquer le malabar" de votre petite copine. Ultime avertissement : il ne faut vraiment avoir que cela à faire...

À la sortie des bureaux à midi
Pour que l'on vous repère bien avec l'imperméable
Quitte à aller au gnouf, autant que ça en vaille la peine !

A l'Assemblée nationale

7e arrondissement
33, quai d'Orsay
Métro Assemblée nationale

Quelques places sont réservées au public pour assister aux séances de l'Assemblée nationale. Pendant que les députés font assaut d'éloquence, faites celui de votre moitié et donnez-lui un baiser Lamourette (voir définition p. 105). Le mercredi, lorsque la séance est retransmise à la télévision, vous aurez peut-être la chance, si le cameraman s'ennuie, de passer à la télé !

De 13h à 21h30 le mardi et de 15h à 21h30 les mercredis et jeudis (ou encore 9h-13h). Venez un peu à l'avance car seuls les dix premiers entrent !
En octobre, à la rentrée
Ne lésinez pas, pour votre premier rôle à l'écran !

Roulez un patin sur les tapis roulants

14e-15e arrondissements
Gare Montparnasse
Métro Montparnasse-Bienvenüe

Dans les couloirs du métro Montparnasse-Bienvenüe, lorsque les voyageurs courent et bousculent les autres usagers pour ne pas manquer leur train, amusez-vous à vous rouler un patin sur les tapis roulants. Cela agace terriblement. Vous verrez, ça ne rate jamais ! Mais qu'il est bon de sentir le roulis sous les pieds...

Vers 19h, aux heures de pointe
En mai, fais ce qui te plaît
Profitez-en, vous avez de la longueur (500 mètres) !

Dans une cabine téléphonique

Tous les arrondissements
Choisir une cabine isolée, et non trois cabines groupées

Une envie subite de vous embrasser vous chatouille tandis que la pluie redouble d'intensité ! Avant d'être totalement mouillés, abritez-vous dans une cabine téléphonique ! Restez-y le temps qu'il vous plaira et jubilez sous les vociférations dont vous êtes l'objet. La file d'attente s'allonge et gronde : "Ils pourraient faire ça ailleurs... Y en a qui veulent téléphoner ! On a droit qu'à six minutes... J'vais vous sortir de là moi, vous allez voir..." Conseil d'ami : sortez avant de vous faire sortir !

12h-14h
Les jours de pluie pour que l'agressivité atteigne au plus vite son paroxysme
Les longs baisers dérangent mais c'est très excitant...

Sur grand écran

Offre valable dans toutes les salles parisiennes

Les salles obscures plongent les amoureux dans l'indifférence d'un public captivé par le film. Tandis que, en gros plan et en techni-

color, les acteurs s'enlacent, surgissez de l'ombre ! Plantez-vous entre le public et l'écran, sous les applaudissement et les sifflets...
Samedi aux séances de 20h à minuit
Profitez d'un jour de pluie car il y a d'autres baisers à faire lorsqu'il fait beau
Comme les stars

Au feu vert

Sur tous les axes rouges

Vous êtes au volant de votre voiture et derrière vous, un chauffeur de taxi, un conducteur de bus, de BMW ou de 205 GTI rouge, immatriculée dans le 93, vous échauffent les oreilles en klaxonnant avant même que le feu soit passé au vert. Pas de panique ! Apprenez-leur à rouler... au palot ! Attendez le prochain feu et jouissez langoureusement, avec votre passager(e), de l'impatience des plus pressés. Un détail : par expérience, n'oubliez pas le frein à main ou le pied sur la pédale de frein... Quelques endroits testés pour vous : les Champs-Élysées, les boulevards de Sébastopol et de Magenta, la rue de Rivoli...
17h30-19h30
Bison futé vous donnera le feu vert
Gardez quand même un œil sur le rétro !

4

Baisers de films

Dans les années 1940, le Japon censurait les baisers au cinéma. Idem en Inde mais, cette fois, la censure était confiée au projectionniste : à chaque baiser, il devait systématiquement éteindre la lampe du projecteur le temps des scènes "coquines". On imagine la projection de *Don Juan*, un film américain de 1926 qui ne compte pas moins de 127 baisers ! Depuis ses premières bobines, le cinéma d'outre-Atlantique a en effet mis les bouchées doubles en matière de bisous : il détient notamment le record du plus long baiser de cinéma, trois minutes et cinq secondes. Il fut échangé entre Jane Wyman, future madame Reagan et Regis Toomey. Le cinéma français, même si le *french kiss* n'est pas à la hauteur de sa réputation, a fait de Paris le décor de grands films d'amour, dans lesquels certaines étreintes restent mémorables.

Les Amants du Pont-Neuf

1er arrondissement
Pont-Neuf
Métro Pont-Neuf

Que l'on ne s'y trompe pas, *Les Amants du Pont-Neuf* a été réalisé en grande partie à Lansargues, près de Montpellier, dans un décor reconstitué. Leos Carax voulait faire son film en s'affranchissant des problèmes d'autorisation et autres contraintes des tournages parisiens. Mais votre amant(e) n'y verra que du feu si vous lui assurez que c'est bien sur le Pont-Neuf parisien que Denis Lavant et Juliette Binoche ont dansé leur valse endiablée sous un feu d'artifice du 14 juillet.

Minuit
14 juillet
Sous la statue d'Henri IV

Violette et François

1er arrondissement
Jardins du Palais-Royal
Métro Palais-Royal

Au petit matin, sous les arcades du jardin du Palais-Royal, François (alias Jacques Dutronc) arrive en Solex. Violette (Isabelle Adjani) court vers lui et se jette dans ses bras. François laisse alors tomber son cycle et embrasse Violette d'une façon impériale. Dans ce film de Jacques Rouffio, datant des années 1970, Isabelle Adjani et Jacques Dutronc forment un couple d'autant plus explosif que l'occupation majeure de François consiste à voler dans les grands magasins, un jeu auquel il tente d'initier son amour... Mais rassurez-vous : il est conseillé de se limiter à la seule scène du baiser. Côté accessoire, un scooter fera l'affaire. Ce dernier est plus facile à trouver que le brave vieux Solex noir, malgré tout le charme qu'il véhiculait.

Au petit matin
Dans la brume
Soyez à la hauteur des deux grands acteurs

Diva

1er arrondissement
Théâtre du Châtelet. 1, place du Châtelet
Métro Châtelet

À la fin d'un spectacle au théâtre du Châtelet, une fois la salle vide, montez sur scène et attendez que votre diva vous prenne la main. Échangez alors ensemble le baiser final du film de Jean-Jacques Beineix, la bande originale à tue-tête dans les écouteurs de votre baladeur. Jeune homme, si vous n'avez pas encore bien le personnage de postier dans la peau, volez le costume de votre facteur puis la tenue légère de votre cantatrice qui s'entraîne déjà sous la douche à faire ses stridentes vocalises. Le jour venu, il faudra respirer bien fort, combattre le trac, avant de la faire exploser de joie comme un verre de cristal !

Fin de soirée
Prévoir un boa pour votre mal de gorge
Et même durant le spectacle !

Lunes de fiel

4e arrondissement
Square Jean-XXIII, sur le flanc de Notre-Dame
Métro Notre-Dame

Dans la brume matinale du square Jean-XXIII, au terme d'une nuit blanche passée dans Paris, Peter Coyote est assis sur un banc avec Emmanuelle Seigner. Il lui masse les pieds et souffle dessus pour les lui réchauffer. Quelle femme refuserait d'être à la place de l'actrice ? Choisissez sans hésiter un des banc situés entre Notre-Dame et la Seine et non ceux qui tournent le dos à la cathédrale. Ces derniers, plantés en rang d'oignons, ressemblent trop, à certaines heures de la journée, à un parking pour amoureux. Merci à Roman Polanski, le réalisateur de *Lunes de fiel*, d'inciter les Quasimodo à s'occuper davantage des pieds fatigués de leur Esmeralda. Et vice versa... Autre jeu des amoureux du square : lancer des miettes de pain en l'air pour que les moineaux habitués à la foule de Notre-Dame les attrapent au vol, sous les yeux émerveillés des enfants.

Tôt le matin
Pour qu'on s'occupe enfin de vos pieds
Sur les orteils

Charade

5e arrondissement
Quai de Montebello et bateau croisière
Métro Notre-Dame

En 1963, *Charade* réunissait pour la première fois à l'écran Cary Grant et Audrey Hepburn. Dans ce film américain de Stanley Donen, Audrey Hepburn joue le rôle d'une femme qui découvre que son mari a été assassiné. Quatre copains de régiment de feu son mari poursuivent la belle Audrey : ils sont sûrs qu'elle sait où son époux a caché les lingots d'or. Cary Grant la poursuit jusqu'à Paris et lui propose son aide ; mais elle ne sait pas si elle peut lui faire confiance. Après une scène mémorable où, tout habillé, Cary Grant prend sa douche, le couple se retrouve pour dîner sur un bateau croisière. Tandis qu'ils sont sur le pont avant du bateau, ils aperçoivent sur un banc, situé à l'extrémité du quai Bourbon, un couple d'amoureux qui s'embrassent ; puis un autre contre un arbre. "Cette lumière vous flatte", glisse l'héroïne à l'oreille de Cary. Modestement, celui-ci répond : "C'est pour ça que je vous ai amenée ici !" Quelques minutes plus tard, par la magie du cinéma, ils échangent un baiser hollywoodien de dix secondes ! Cette scène, comme toutes les autres du film, a été tournée en décor naturel. Aussi, sans tergiverser, prenez un ticket pour la croisière s'embrasse !

Extérieur nuit

L'été sera chaud...

Happy end obligé

Un monde sans pitié

6e arrondissement

Jardin du Luxembourg

Métro Luxembourg

Pas de pitié pour Hippo ! Dans ce film d'Éric Rochant (1989), Hippo (Hippolyte Girardot) est très épris de Nathalie (Mireille Perrier). Mais, au grand regret d'Hippo, Nathalie – normalienne brillante et traductrice de russe – est une "bosseuse". Ils arrivent malgré tout à se rencontrer... et à échanger un baiser dans le jardin du Luxembourg. Un classique parmi les baisers du cinéma de cette fin de siècle. Mais où se rendre pour le voler à ces personnages ? Facile ! Au jardin du Luxembourg avec pour décor de fond, le Panthéon. Attention ! Pour nos deux colombes, le rendez-vous galant ne dure pas longtemps : Nathalie doit encore repartir travailler. D'où la révolte d'Hippo qui fulmine : "Il y a 30 000 nanas ici... y en a qu'une seule qui se casse et c'est celle qui m'intéresse." En haussant le ton, il lance à toutes les filles du jardin : "Mais putain, cassez-vous ! Cassez-vous toutes, allez travailler, allez voir vos... Russes, mais laissez-moi celle-là !" Cela ne suffira pourtant pas à retenir Nathalie. Espérons que, pour vous, la chance sera au rendez-vous !

En plein après-midi

Par une belle journée d'automne

Comme lors de vos premiers rendez-vous

French Kiss

8e arrondissement
31, avenue George-V
Métro George-V

Dans *French Kiss*, comédie de Lawrence Kasdan, Meg Ryan – la blonde capricieuse de *Quand Harry rencontre Sally* – atterrit à Paris, descend à l'hôtel Georges-V et tombe... dans les pommes au beau milieu du hall de l'illustre hôtel. Surprise : son fiancé, qu 'elle venait rejoindre en France, est en train d'échanger un long et langoureux baiser de cinéma (à l'américaine) avec une inconnue, au pied du superbe ascenseur. Le synopsis de la scène étant entre vos mains, vos talents d'actrice et d'acteur sont dès maintenant mis à contribution. Un détail tout de même : on n'entre pas ici comme dans un moulin !

À l'improviste
Avant les vendanges
♥ *Veillez à ce que personne de votre proche entourage ne tombe dans les pommes*

Subway

9e arrondissement
Salle des correspondances
RER Auber

Au milieu de la salle des correspondances (appelée aussi salle des échanges), au pied de la travée centrale des escaliers, Héléna (Isabelle Adjani) répond par un baiser à la question fatale de Fred (Christophe Lambert) : "Est-ce que tu m'aimes un p'tit peu ?" Avec une dimension moins tragique (car Luc Besson, le réalisateur, fait mourir son héros à la fin), fixez votre rendez-vous entre deux correspondances à la station du RER Auber, afin de répondre par un petit piou à la question que l'autre pose toujours, un jour ou l'autre... M'aimes-tu un petit peu ?

Heures de pointe
Au chaud ou... à l'ombre
♥ *Debout, on vous regarde*

Drôle de frimousse

10e arrondissement
Gare du Nord
Métro Gare du Nord

Dans cette comédie musicale de Stanley Donen (1957), à l'arrivée du train Londres-Paris, un photographe de mode interprété par Fred Astaire photographie Audrey Hepburn, censée représenter la femme américaine à Paris. Il lui donne quelques recommandations : "Aujourd'hui vous êtes triste, vous êtes un personnage de tragédie, Anna Karénine !" Innocemment, elle réplique : "Je me jette sous le train ?" Réponse du photographe : "On verra, pour le moment, vous vous sacrifiez." D'un air espiègle, il ajoute : "Votre amoureux vous a donné un baiser d'adieu !" Ayant bien calculé son coup, il lui en fait, tendrement, la démonstration. D'abord surprise, Audrey Hepburn semble ensuite enchantée de ce geste... galamment amené. Good job, Mister Astaire ! À vous de jouer !

Connaître les horaires de train
En tenue d'été
Soyez, vous aussi, original

Chacun cherche son chat

11e arrondissement
Pause Café Bastille, 41, rue de Charonne
Métro Ledru-Rollin

Devant le Pause Café, troquet sympatoche de la Bastoche, donnez, monsieur, votre numéro de téléphone à une jolie fille, et n'omettez pas, avant de vous éloigner, de l'embrasser dans le cou. Vous ne serez pas le premier : dans *Chacun cherche son chat*, de Cédric Klapisch, Benoît (Bel Canto pour les intimes du café), gratifie ainsi d'un baiser dans le cou sa délicieuse voisine de palier, Chloé, qui l'a aidé à déménager. Ce baiser donne des ailes à la jeune femme qui se met à courir sur le trottoir de la rue de Charonne... tandis qu'une poignée d'habitués entonnent en chœur : "Paris, c'est une blonde"...

À l'heure de l'apéro
Pour voir courir mademoiselle sur les trottoirs de Bastille avec une robe légère
Les habitués sont habitués

J'embrasse pas

16e arrondissement
Chalet des Îles, bois de Boulogne
Métro La Muette ou RER Avenue Henri-Martin

Comme son titre l'indique, il n'y a pas de baiser dans le film *J'embrasse pas* d'André Téchiné. Mais on retiendra une scène particulièrement romantique. Elle réunit autour d'un petit déjeuner Emmanuelle Béart et Manuel Blanc, jouant tous deux le rôle de prostitués. Le couple, après une nuit passée au poste de police, se retrouve dans le restaurant le Chalet des Îles du bois de Boulogne, sur l'île située au milieu du lac. Ils sont seuls dans une salle somptueuse. Emmanuelle Béart, qui aurait rêvé être chanteuse, interprète la troublante chanson de *Sophie de Nantes*. À la sortie du restaurant, sur la petite embarcation à moteur qui relie l'île aux rives du lac, elle demande doucement : "Tu as envie de coucher avec moi ?" À vous d'imaginer et de choisir la suite de... votre histoire d'amour. N'espérez pas retrouver le décor exact du restaurant : l'établissement a changé de configuration. Mais la salle porte toujours le même nom (la Pergola) et son charme est préservé.

Pour le petit déjeuner (à la sortie du poste de police... si possible)

Plus désertique !

La reconstitution était presque parfaite...

La Belle Verte

16e arrondissement
Stade du Parc des Princes
Métro Porte de Saint-Cloud

Déconnectez-vous du monde le temps d'une mi-temps sur la belle et verte pelouse du Parc des Princes. Courez, dansez, gambadez comme les joyeux footballeurs du film de Coline Serreau. Dans cette fiction joliment ficelée, trois personnages débarquent d'une autre planète et, à l'occasion d'un match de foot, parviennent du haut des gradins à déconnecter les joueurs ainsi que l'arbitre, grâce à leur pouvoir télépathique. S'ensuit alors une délirante chorégraphie qui s'achève par une longue étreinte plutôt "gaie" entre deux joueurs. À vous de jouer, la balle est dans votre camp.

À la mi-temps

Pas de trêve pour les amoureux

Baiser plus spectaculaire quand les gradins sont pleins

Le Dernier Tango à Paris

16e arrondissement

Sur les quais de la station aérienne

Métro Bir-Hakeim

Au cœur de ce film, qui fut vivement critiqué à sa sortie en 1972 pour sa violence sexuelle, une scène de combat "amusante" oppose Maria Schneider et son mari, Jean-Pierre Léaud. Sur les quais de la station Bir-Hakeim, le couple se bat à coups de poings pour finir dans les bras l'un de l'autre. Les deux protagonistes s'embrassent, assis par terre, contre un banc, devant une affiche publicitaire. Essayez de faire de même et observez la réaction du public…

Heures de pointe

Ça chauffe !

Après la bagarre

Les Quatre Cents Coups

17e arrondissement

Place de Clichy

Métro Place de Clichy

Où se donner un baiser adultère ? Contre les grilles du métro Place de Clichy, sur le terre-plein central ! Ouvrez l'œil : l'étreinte buissonnière, c'est bien joli mais votre sacripan de fiston peut aimer sécher les cours et vous surprendre dans les bras de votre jules ! Ainsi, vous rejouerez une scène fameuse des *Quatre Cents Coups* de François Truffaut, qui obtint pour ce film le prix de la mise en scène au festival de Cannes de 1959. Alors, tous en scène ! Silence on tourne…

Il n'y pas d'heure pour l'école buissonnière

Sous un manteau de fourrure, modèle 1959

Gare à votre petit Antoine…

La Bête humaine

17e arrondissement
Square des Batignolles et dépôt SNCF Cardinet
Métro Brochant

"Lâchez-moi les mains, et ne me regardez pas comme ça, vous allez vous user les yeux", déclare la femme du sous-chef au cheminot Jacques Lantier alias Jean Gabin. Non, il ne lui retourne pas "t'as d'beaux yeux, tu sais", car il n'est pas face à Michèle Morgan sur le quai des Brumes. L'action se déroule sur le petit pont du square des Batignolles. Ce n'est pas ici qu'ils s'étreignent mais juste en face, dans le dépôt SNCF (station Cardinet). Là, Jean Gabin fait monter sur sa locomotive la jeune fille dont il est éperdument amoureux. Mais cette fois-ci, il n'aura droit qu'à un bisou sur la joue. Ce n'est que plus tard, dans ce même dépôt, qu'une rencontre plus charnelle s'opérera à la nuit tombée : "Vous m'attendiez ?" demande le beau cheminot. "Oui je t'attendais, je t'aime Jacques", dit-elle... comme au cinéma. Jacques réplique : "Non ! c'est vrai, vous m'aimez ! Oh alors il faut que je vous le dise"... Mais il n'a pas le temps de déclarer quoi que ce soit car elle l'embrasse passionnément. Adeptes des rendez-vous qui font frissonner, acceptez les rancarts galants dans les sombres dépôts de gare. Mais prenez garde ! La bête humaine est en vous... et souvenez-vous, avant d'aller plus loin, que le pauvre Jacques Lantier devient fou d'amour et tue sa belle avant de se laisser tomber du train.

En plein jour, dans le jardin, en pleine nuit dans le dépôt

Le square des Batignolles est magnifique à cette époque de l'année !

Certes vous n'êtes pas en présence de Jean Gabin, mais il est pas mal non plus, n'est-ce pas ?

Le Dernier Métro

18e arrondissement
Théâtre de l'Atelier. 1, place Charles-Dullin
Métro Anvers

Même si le film a été tourné en studio, le mythique théâtre du *Dernier Métro* dont s'est inspiré François Truffaut mérite le détour. Immiscez-vous dans les loges et fermez la porte. Bernard – c'est comme cela, monsieur, que vous vous appellerez, même si vous n'avez pas exactement le physique de Gérard Depardieu –, vous allez plaquer votre héroïne contre le mur en imaginant que vous êtes face à Catherine Deneuve. Lorsqu'elle vous dira : "Bon, et bien au revoir Bernard !", embrassez-la, à la Depardieu. Si les choses se passent comme dans le film, votre partenaire vous avouera : "J'avais l'impression que vous entrepreniez quelque chose avec toutes les femmes sauf moi." Alors, sans bégayer, il faudra répondre : "D'abord, ce n'est pas toutes les femmes et puis vous m'intimidiez. Parfois, vous me regardiez sévèrement et même avec une certaine dureté." Vous compreniez de travers : c'était tout le contraire, elle était troublée par vous ! Logiquement, vous devriez vous allonger par terre car le désir entre les deux personnages est brûlant mais, s'il vous plaît, rentrez chez vous !

Attention à l'heure du dernier métro (avant 0h45)

Mais sortez couverts !

Tout va bien si son mari n'est pas enfermé dans la cave

Le Fabuleux Destin d'Amélie Poulain

18e arrondissement

Montmartre - Sacré-Cœur

Métro Anvers ou Abbesses

Un premier baiser se mérite. Cela doit être, pour les plus romantiques, un véritable parcours du combattant. Pour votre premier rendez-vous amoureux, inspirez-vous d'Amélie Poulain et de son jeu de piste. Munissez-vous d'une craie bleue. Dessinez des flèches sur les escaliers qui mènent à la basilique du Sacré-Cœur et demandez-lui de les suivre. Elles conduisent jusqu'à une longue-vue panoramique au pied de la basilique. Vous aurez pris soin auparavant de pointer l'objectif vers l'endroit où vous serez posté(e) pour observer votre petit manège : les chevaux de bois. Tandis que votre amant(e) redescend quatre à quatre les escaliers, il ne vous reste qu'à vous esquiver en attendant le prochain rendez-vous. À vous de savoir si vous souhaitez, cette fois-ci, le (ou la) récompenser par un baiser. Si vous avez le petit côté d'Amélie, faites-le (ou la) plutôt mariner...

En plein après-midi

Quand les jupes à fleurs fleurissent dans les jardins du Sacré-Cœur

Après tant d'efforts, le (ou la) pauvre a besoin d'un remontant...

Casque d'Or

20e arrondissement
Rue Piat, rue du Transvaal
Métro Belleville

Elle est blonde ? Belle ? Elle a de la gouaille ? Vous êtes fou d'elle ? Faites un bond en arrière et imaginez-vous en 1952 sur la colline de Belleville. Jacques Becker, le réalisateur du chef-d'œuvre *Casque d'Or* vous conduit sur la trace d'un baiser passionné qui va souder Simone Signoret, jouant le rôle d'une prostituée, et Manda, alias Serge Reggiani. Le fiacre de Casque d'Or la dépose au sommet de la rue Piat. L'aménagement du parc de Belleville a aujourd'hui modifié le décor mais qu'importe, le site est encore reconnaissable.
À partir de là, que les hommes se méfient : la reconstitution précise de la scène impose de faire suivre le baiser d'une claque magistrale (administrée par Casque d'Or). Manda avait "oublié" de confesser qu'il était déjà fiancé. Aujourd'hui, le terrain où s'est déroulée la scène n'est plus vague... Le lieu où déposer vos baisers se situe devant le 13, rue du Transvaal !

À l'heure du déjeuner

Profitez du parc de Belleville

Attention à la claque !

Les Enfants du Paradis

20e arrondissement
Quartier de Ménilmontant
Métro Ménilmontant

Dans ce grand classique du cinéma français, le célèbre mime Debureau (Jean-Louis Barrault) brûle d'amour pour une petite théâtreuse prénommée Garance (Arletty). Un soir, sur la colline de Ménilmontant, Jacques Prévert, l'auteur des dialogues du film de Marcel Carné, pose sur les lèvres des deux grands acteurs ces célèbres dialogues : "Quel drôle de garçon vous faites", lance Garance d'une voix concupiscente. Frédéric : "Comme vous êtes belle... Et la lumière de vos yeux..." Garance : "Oh la lumière, une petite lueur, comme tout le monde. Tenez, regardez les petites lumières de Ménilmontant. Les gens s'endorment et s'éveillent, ils ont chacun cette lueur qui s'allume et qui s'éteint... Mais vous tremblez, vous avez froid ?", s'inquiète-t-elle. "Je tremble parce que je suis heureux. Je suis heureux parce que vous êtes là, tout près de moi. Je vous aime. Et vous, Garance, m'aimez-vous ?" Elle pose ses bras sur les épaules de Frédéric et lui avoue : "Vous êtes le plus gentil garçon que j'aie jamais rencontré." Puis, après un "je vous aime" pathétique, ils s'embrassent passionnément. Garance éloigne ses lèvres de celles de Frédéric et souffle alors cette fameuse réplique : "C'est tellement simple l'amour !" À ce moment précis, un coup de tonnerre éclate sur la butte de Ménilmontant. Les deux personnages n'ont pas eu la chance de vivre cette scène sur les authentiques pavés de Ménilmontant mais dans le studio Francœur (18e arrondissement). Faites néanmoins votre pèlerinage cinématographique dans le décor naturel de Ménilmuche.

Dans la nuit

Afin de frissonner

C'est tellement simple, l'amour !

L'Année Juliette

Orly (Essonne)

Aéroport d'Orly

RER Orly

Comment dissuader votre maîtresse de s'installer avec vous ? Pas facile, quand on est incapable de dire non. Une suggestion ? Dans *L'Année Juliette*, Fabrice Luchini, alias Camille, a trouvé la parade : il s'invente une histoire d'amour avec une flûtiste passant le plus clair de son temps en tournée. Idéal. Oui, mais à force de jouer et de tromper, cela se retourne parfois contre soi. Et ça peut faire mal... En particulier lorsque l'on prend en pleine figure l'uppercut d'un jaloux qui surprend sa douce dans les bras d'un inconnu. Ce n'était pourtant qu'une mise en scène organisée par Camille pour faire fuir, une fois de plus, sa maîtresse encombrante. Pour les amateurs de sensations fortes, la scène se passe à l'aéroport d'Orly. Il suffit de se diriger tout droit vers une charmante demoiselle, prise au hasard, et de lui glisser à l'oreille : "Mademoiselle, aidez-moi je vous en supplie, vous voyez cette femme derrière moi, on doit partir en Italie ensemble, elle veut me faire un enfant. Dites que vous vous appelez Juliette. Oui, Juliette Graveur, vous êtes flûtiste, vous aimez la musique..." Si tout marche comme dans le scénario, elle doit vous répondre : "Si je vous embrassais, vous ne pensez pas que ça ferait plus vrai ?" C'est alors que le jeu devient dangereux. Il faut aller jusqu'au bout, vous exécuter et si votre inconnue en redemande, vous risquez de vous faire casser... la mâchoire.

Au moment de l'embarquement, au départ d'un voyage d'amoureux en Italie

Ça risque de chauffer...

Préférez les jours de départ en vacances pour que le jeu en vaille la chandelle et qu'il y ait un maximum de témoins pour la tenir (la chandelle, bien sûr)

Masculin Féminin... ou masculin-masculin !

Deux homosexuels s'embrassent longuement dans les toilettes d'une brasserie typiquement parisienne lorsqu'un jeune homme trouble leur intimité en ouvrant la porte. "Barre-toi, p'tit con", intime l'un d'eux. Vexé, le jeune homme sort son marqueur et se venge en inscrivant sur la porte : "À bas la République des lâches !" À travers les tribulations sentimentales d'un jeune homme quelque peu paumé (Jean-Pierre Léaud), Jean-Luc Godard décrit, en 1966, la vie de café pour une génération tiraillée entre le militantisme et les chansons yéyé. Parmi les sujets de comptoir et de prédilection : la guerre du Vietnam, mais aussi la contraception ou... l'amour libre ! L'adresse de la brasserie du film ne sera pas donnée : ses propriétaires ne souhaitent pas repeindre la porte des toilettes après chacun de vos passages ! Cependant, pour réaliser ce baiser style "nouvelle vague", vous trouverez un nombre impressionnant de brasseries typiquement parisiennes dans tous les arrondissements de la capitale. Une indication précieuse : les toilettes se situent en sous-sol.

Afin d'éviter que la police vous soupçonne, l'horloge romantique restera cette fois-ci muette quant à l'heure du crime

Quand il pleut et qu'il n'y a rien d'autre à faire dehors

À la bonne heure !

Les salles de cinéma les plus romantiques

Le Grand Rex

2e arrondissement

1, boulevard Poissonnière

Métro Bonne-Nouvelle

L'adjectif "grand" est bien petit pour définir ce superbe cinéma parisien qui nous fait voyager sous des cieux féeriques. Les étoiles ne scintillent pas seulement dans vos yeux amoureux, mais aussi au plafond. Et ce, grâce à la projection d'un arc de lumière sur des particules de verre qui laissent s'éparpiller dans l'univers feutré de la salle une constellation magique. Mylène Demongeot et Gary Cooper s'y sont spécialement déplacés en 1957 pour inaugurer le premier escalator au monde installé dans un cinéma. Au Grand Rex, on voit la vie et le cinéma en grand ! Emmenez-y donc le grand amour de votre vie ou même votre petit(e) ami(e)...

11h, tranquillité garantie

Exotisme assuré

Version longue

Europa Panthéon : fauteuils doubles

5e arrondissement

13, rue Victor-Cousin

Métro Cluny-la-Sorbonne ou RER Luxembourg

Vous n'aimez pas être séparés, même le temps d'un film, par un accoudoir ? Qu'à cela ne tienne, une surprise est réservée aux amoureux indécollables : quatre banquettes à deux places ! Elles vous attendent au fond du balcon de l'Europa Panthéon. Alors là, on vous gâte...

13h30

Les jours de pluie

À moins que le film soit vraiment palpitant...

La Pagode

7e arrondissement

57 bis, rue de Babylone

Métro Saint-François-Xavier

La Pagode est née d'une magnifique histoire d'amour à la fin du XIXe siècle. M. Morin, directeur du Bon Marché, est éperdument amoureux de son épouse. Bon début. Sa femme craque devant toutes les chinoiseries et japonaiseries nouvellement importées. Normal, l'époque est à la mode orientale. Pour lui faire plaisir, M. Morin demande alors à son architecte, Alexandre Marcel, de construire dans leur jardin une véritable pagode. L'architecte s'exécute avec un grand souci d'authenticité, allant même, dit-on, jusqu'à faire venir directement du Japon des boiseries sculptées pour la charpente. Mme Morin y organise de somptueuses réceptions où le couple apparaît costumé en empereur et impératrice. Mais le jeu ne dure guère pour le pauvre M. Morin : l'année même de l'inauguration, sa femme le quitte pour...le fils de son associé ! Une histoire d'amour comme il en existe au cinéma. C'est peut-être pour cela que les portes de la Pagode s'ouvrent aux cinéphiles en 1930. La salle est sans doute la plus exotique de Paris.

Cela dépend du film que vous voulez voir

À la mousson de Paris

Méfiez-vous du fils de votre associé !

5

S'embrasser jusqu'à plus soif

Amateurs de plaisirs, sucrés ou non, courts, longs ou allongés, venez poser vos lèvres sur les tasses de café du Paris de la Belle Époque ou sur celles des petits troquets typiques dénichés dans les rues de la capitale.

Le Baiser Salé

1er arrondissement

58, rue des Lombards. Tél. 01 42 33 37 71

Métro Châtelet

Ne serait-ce que pour son nom, le Baiser Salé mérite le détour. Au rez-de-chaussée, le grand comptoir en U vous ouvre ses bras, en signe de bienvenue. On se fait la bise ? Peut-être à l'étage, qu'en pensez-vous ? En effet, au premier, les baisers n'ont pas le même goût car ils se pratiquent dans une ambiance plus chaleureuse. Surtout vers les 23 heures, lorsque des concerts de musiques salsa, afro, jazz latino et autres mélodies colorées se succèdent au rythme des cymbales. Le mariage des musiques et des couleurs forme une palette de baisers venus de tous horizons. Des cocktails de fruits frais soulagent les bouches ardentes. Bon voyage au pays du baiser salé. Attention, le billet pour cette destination musicale est un peu salé, lui aussi…

Toute la nuit jusqu'à 6 heures du matin

Lorsque Paris est sous la neige

Pendant ce temps, vous n'enfumerez pas davantage la salle, à l'atmosphère parfois irrespirable

Le Fumoir

1er arrondissement

6, rue de l'Amiral de-Coligny. Tél. 01 42 92 00 24

Métro Louvre

Le Fumoir se tient fièrement, tout en noir, face au Louvre. La flamme des petites bougies danse sur les tables. Le thé qui infuse dans de belles théières noires parfume le Fumoir d'un bouquet de jasmin ou de bergamote. Vous avez choisi le fond du bar – la bibliothèque – pour vous dire des mots doux. La grande lampe sur le rebord de la fenêtre est le témoin de votre moment langoureux, dans un cadre boisé et ancien. Des jeux en bois font patienter les baisers retardataires, timides ; baisers que vous accompagnerez ensuite, si la faim vous titille, d'un velouté de carottes et gingembre, puis d'un dos de sandre aux aromates. Bonne continuation...

Du thé jusqu'au souper, il fait bon y flâner

Pour regarder par les fenêtres les couples emmitouflés

Ici, tout est fait pour !

Le Temps des Cerises

4e arrondissement

31, rue de la Cerisaie. Tél. 01 42 72 08 63

Métro Sully-Morland

D'Artagnan venait se rafraîchir dans cette ancienne taverne chaque fois qu'il accompagnait ces dames se rendant chez le joaillier, au coin de la rue Charles-V et de la rue Beautreillis (la joaillerie existe toujours). L'origine du Temps des Cerises ? Elle remonte à l'époque où une cerisaie ornait encore l'ancien cloître des Célestins, à deux pas d'ici. Aujourd'hui, Gérard, bacchantes impressionnantes, et sa femme Marie-Claire, sont amoureux de leur petit bistrot de quartier. Tous les jours, une ambiance de fête de village règne autour du comptoir en bois sculpté, tandis que dans un coin de la salle, des amants s'isolent et se cajolent sous la vieille affiche des Amours des Dieux. Autour d'eux, les murs ont photographié les personnalités qui s'y sont adossées : Robert Doisneau, Raymond Devos, Maxime Le Forestier... Et puis, de gentils fantômes anonymes du Paris populaire fredonnent encore la même mélodie. Un refrain qui annonce l'arrivée d'un fruit tant attendu dans le quartier... Alors vivement *le temps des cerises*, que vous viendrez chanter après Juliette Greco, Yves Montand ou Charles Trenet... "Gai rossignol et merle moqueur seront tous en fête. Les belles auront la folie en tête. Et les amoureux, du soleil au cœur !"

Dès 7h45 et jusqu'à 20h : il y fait bon se câliner toute la journée

Au temps des cerises, pardi !

Vous ne serez pas les premiers

Un thé à la Mosquée

5e arrondissement
39, rue Geoffroy-Saint-Hilaire. Tél. 01 43 31 18 14
Métro Censier-Daubenton

Croyants et athées, amants et mariés, rien ne vous empêche – car ce n'est pas un péché – de boire les trois thés à la Mosquée de Paris. Ici, les campagnes de sensibilisation contre l'alcoolisme (un verre ça va, trois verres, bonjour les dégâts...) n'ont pas de sens : à la mosquée, on ne sert pas d'alcool. La coutume exige que l'on boive trois verres... de thé. Le premier thé est âpre comme la vie, le deuxième (qui vous concerne plus directement) est fort comme l'amour. Le troisième, lui, se montre suave comme la mort. Accompagné d'une petite pâtisserie orientale, le moment sera sacré et sucré. Tout comme vos lèvres !

14h-23h
Sous la chaleur de juillet
Vous êtes au cœur d'un monument religieux

Le Procope, plus vieux café de Paris

6e arrondissement
13, rue de l'Ancienne-Comédie. Tél. 01 40 46 79 00
Métro Odéon

Fondé en 1669 (année érotique...), le Procope est le plus vieux café de Paris. Francesco Procopio dei Coltelli, un gentilhomme de Palerme venu ouvrir un bar à Paris, proposait à ses clients la dégustation d'un nouveau breuvage : le café. En conséquence, inutile de réfléchir pendant des heures à ce que vous allez consommer... En entrant, sur votre droite, le salon Jean de La Fontaine reste fidèle aux poules, cigales, fourmis... galantes qu'il invite entre ses quatre murs. Peut-être préférerez-vous la table à côté de la bibliothèque de livres anciens dans le fond du café. Après tout, le Café Procope était aussi le premier café littéraire du monde. Les grands maîtres de la littérature française s'y sont succédé. L'*Encyclopédie* de Dideront et d'Alembert a même vu le jour ici. Vous resterez bien manger ? Dans ce cas, demandez en priorité l'une des quatre tables dressées sur le balcon. Vous déjeunerez tranquillement au premier étage, sous un parasol rouge.

En fin de matinée

Afin de profiter du balcon

Dans le salon, un portrait de Jean de la Fontaine lorgne derrière votre épaule

Baiser intello aux Deux Magots

6e arrondissement
6, place Saint-Germain-des-Prés. Tél. 01 45 48 55 25
Métro Saint-Germain-des-Prés

Dans les années 1950, Simone de Beauvoir et Jean-Paul Sartre s'y rendaient pour écrire deux heures par jour. Suivez leurs traces ; consacrez quotidiennement deux heures à mettre sur le papier vos sensations après un baiser donné aux Deux Magots. Vous verrez que les impressions changent d'un jour à l'autre. En cas de page blanche, exigez de répéter l'expérience ! Ensuite, faites lire votre prose à votre coauteur et comparez. Il est toujours cocasse de décrire un baiser, surtout en confrontant deux points de vue. D'autres poètes, avant vous, sont venus ici taquiner la muse : Verlaine, Rimbaud et Mallarmé aimaient se rencontrer entre ces murs avant Breton ou Desnos.

17h-20h

Lorsque la pluie ruisselle sur les vitres

Pour pouvoir en parler et philosopher !

Les Gaufres

6e arrondissement
Jardin du Luxembourg
Métro Luxembourg

Le Chalet des Gaufres est une grande histoire de famille. Les ancêtres de la patronne sucraient déjà les gaufres de nos grands-pères et grands-mères lorsqu'ils venaient fricoter dans les allées du Luxembourg. Quelle partie de rigolade lorsqu'il fallait essuyer ses lèvres toutes blanches ! Les chaises et les tables métalliques kaki qui ratissent les fines pierres de la terrasse évoquent toujours, par leur bruit singulier, des moments romantiques passés dans ce charmant salon de thé. Si, jadis, on ne servait ici que des gaufres, un choix beaucoup plus vaste est offert aujourd'hui. Une grande variété de salades poussent même sur les tables disposées autour du chalet. Pour le dessert, en revanche, il est impératif de se couvrir les lèvres de la délicieuse poudre blanche en dégustant la traditionnelle gaufre au sucre.

14h-17h

Pour profiter de la terrasse

Comme Papi et Mamie

L'Atmosphère

10e arrondissement

49, rue Lucien-Sampaix. Tél. 01 40 38 09 21

Métro Jacques-Bonsergent

Atmosphère, atmosphère ! La célèbre réplique de cinéma ayant pour décor le petit canal qui coule le long du bistrot a aujourd'hui ses habitués. Sympathiques. Tous nostalgiques des vieilles chaises en bois, des vieux zincs et anciens troquets d'antan, les assoiffés des bises à l'ancienne viennent ici prendre l'apéro, le digeo, et une bonne bouffée d'atmosphère… dans la "gueule" ! Ambiance rétro, populo, où l'art dans les bars et la musique à gogo se partagent la scène. À lui seul, ce petit bar est un véritable plateau (de cinéma) où défilent demis, kawas et pastagas au milieu des fines fleurs de la vie parisienne et anonyme. Titis parisiens, Maghrébins sifflotant gaiement et autres cosmopolitains de la capitale se partagent ce bel Atmosphère. Notre table d'amoureux est contre la vitrine, avec vue sur le canal, ou au fond à gauche si vous préférez vous affaler sur les banquettes…

L'après-midi

Pour un petit chocolat chaud

Ça ne froissera personne ici

Guinguette pirate sur jonque chinoise

12e arrondissement
Port de la Gare (face à la Bibliothèque nationale de France)
Tél. 01 53 61 08 49
Métro Quai de la Gare
Embarquez avec votre Tonquinoise sur la jonque chinoise. Débridez vos passions en absorbant un rhum-marine avant de passer aux choses sérieuses. Bien amarré au quai de la Gare, vous mouillez dans les eaux de la Seine pour une escale parisienne "made in Asia". La coque en bois fait craquer les cœurs. Le balancement du navire vous donne déjà le tournis. Brusquement, coup de foudre ! Le canon, fardé de poudre et de rouge à lèvres couleur sang est posté devant vous. Ses lèvres sont menaçantes, prêtes à lancer les hostilités. Désarmé, vous rougissez ! Eh bien, moussaillon, courage ! Avale cul-sec ton godet et hisse le voile qui masque le visage de ta belle Tonquiqui… Tonquinoise.
Au soleil de minuit. Évitez le week-end
Le parfum singulier du bois s'accentue dans la moiteur des soirées de juillet
Cachez-vous dans la cale !

Le Lapin Agile

18e arrondissement
22, rue des Saules. Tél. 01 46 06 85 87
Métro Lamarck-Caulaincourt
Les yeux fermés et avec un peu d'imagination, vous parviendrez à entendre le chant des cigales. Vos vingt doigts de pieds en éventail se reposent sur le banc de votre mas provençal aux volets verts. L'acacia vous fait de l'ombre. Les vignes de Montmartre sont à deux pas sur votre gauche. Huit heures et quart, c'est l'heure du Ricard ! À 21 heures, le soleil commence à s'éteindre. La veillée s'annonce. Derrière la porte, chansons, humour et poésie sont de la fête. Doyen des cabarets, le Lapin Agile fut jadis tenu par Adèle, ex-danseuse de french cancan. L'ont beaucoup fréquenté Alphonse Allais et le peintre André Gill. Ce dernier en a même totalement modifié le décor. Il peignit en guise d'enseigne un lapin bondissant d'une casserole et tenant une bouteille. Les clients, parmi

lesquels Max Jacob, André Salmon, Roland Dorgelès ou encore Guillaume Apollinaire, prirent alors l'habitude d'appeler le cabaret le Lapin à Gill, puis le Lapin Agile.

20h15 pour le spectacle

Quand les grappes sont mûres

Ce n'est pas tous les jours que l'on s'embrasse à Montmartre

La Flèche d'Or

20e arrondissement

102, rue de Bagnolet. Tél. 01 43 72 04 23 ou 01 43 72 42 44

Métro Alexandre-Dumas

La Flèche d'Or est un café qui perce le cœur... des rockers. Son décor y participe : une verrière surplombe l'ancienne ligne de chemin de fer de la petite ceinture. Des baisers style "grands départs" résonnent dans cette ancienne gare.

Suspendu au-dessus du comptoir, dans la cabine d'une locomotive, le chef de gare converti DJ siffle son demi et démarre toujours à l'heure lorsqu'il s'agit de sortir du train-train quotidien. Sa musique, bruyante pour certains, a au moins l'avantage de favoriser les rapprochements de ceux qui veulent s'entendre. Certains soirs, dans les toilettes, Olive et Popeye s'échangent même un smac dans un vieux film super 8 projeté sur le mur. Pour les oiseaux de nuit, un chouette endroit !

À partir de 17h au-dessus de la voie ferrée

La foule vous réchauffera

Ici, pas de chichis !

6

Bisous à la carte

Voici une fourchette de restaurants, plus romantiques les uns que les autres, pour assouvir les appétits les plus féroces mais aussi satisfaire les fins gourmets en matière de baisers. On le sait, quand on aime on ne compte pas. C'est pourquoi il ne se trouve ici pas le moindre tarif. Mais que les moins riches se rassurent : aucune adresse n'est hors de prix.

Chez Jules

1er arrondissement

62, rue Jean-Jacques-Rousseau. Tél. 01 40 28 99 04

Métro Les Halles

Dans quel restaurant inviter son jules à Paris ? Chez Jules, pardi ! Dans cette petite rue du quartier des Halles, les Jules célèbres ont leur royaume. Jules César, Jules Dassin, Jules Raimu, Jules Romains... tapissent les murs de ce petit resto à la réputation grandissante. La table à réserver ? La petite située sous l'affiche du film *Jules et Jim*, à l'étage. Au programme, ce soir : foie gras frais maison, croustillant de pigeons aux pousses d'épinard et asperges braisées. Pour finir, le dessert de... Léo, le second fils du chef. Quel est le prénom du premier ? Vous l'aurez tous deviné !

Pour le dîner

Quand les potagers sont généreux en légumes savoureux

♥ *Vous n'êtes pas tout(e) seul(e) à avoir envie d'être seul(e)s !*

Au Vieux Paris d'Arcole

4e arrondissement

24, rue Chanoinesse. Tél. 01 40 51 78 52

Métro Cité

Comme l'aurait dit Paul Claudel, “une glycine extravagante : ses cent lianes se lacent, s'entremêlent” sur le mur du Vieux Paris d'Arcole. Le trottoir est abondamment fleuri de géraniums, de roses, d'azalées et de clochettes mauves, qui sonnent déjà l'heure de passer à table. Des petits vitraux violets, rouges et jaunes plongent la salle de restaurant dans une ambiance insolite. Cet ancien hôtel particulier, bâti sur l'île de la Cité au XVIe siècle, comptait parmi les trente-sept maisons de chanoines qui entouraient autrefois Notre-Dame. Autant dire que la maison a de la bouteille. Mariez les bons vins du chef avec les spécialités de l'Aveyron : tripoux, cou d'oie farci... Et prenez vite celui de votre invité(e) avant qu'il ou elle ne vous dévore !

Au déjeuner

Sous l'ivresse du parfum des fleurs quand la porte est ouverte

Pour ne pas choquer les fantômes des chanoines qui vécurent ici

La Charlotte de l'Isle

4e arrondissement

24, rue Saint-Louis-en-l'Ile. Tél. 01 43 54 25 83

Métro Pont-Marie

Dans ce singulier salon de thé, deux petites salles à croquer ont été décorées comme les pièces d'une maison de poupée. Tout y est petit... donc mignon, comme le veut le dicton ! Même le lait destiné à troubler votre thé le temps d'un nuage est servi dans une cruche minuscule, à peine plus grande qu'un dé à coudre. La Charlotte de l'Isle est le royaume des petits et des grands enfants. Et Tanti, qui mène la ronde, concocte aussi dans sa cuisine de succulentes... poésies : "Toi l'enfant... le grand, toi qui sais voir, qui sais rêver, qui peux partir sur un nuage, je voudrais modestement t'ouvrir ce qu'il me reste de mon cœur d'enfant. Ce petit coin de paradis qui me fait rêver, qui me fait penser quelquefois, que nous avons le même âge. Crois-tu qu'il me soit possible de te faire entrer dans ma ronde gourmande ?"

Plutôt deux fois qu'une ! Surtout quand on a goûté au florentin farfelu ou au gâteau aux épices. Chez Tanti, pas de mystères : la somptueuse cuisine, qui fleure constamment le chocolat onctueux, vaut le coup d'œil. Juste derrière, vous trouverez une petite cour et sa jolie fontaine. Ce sera le moment opportun de retirer à votre aimé(e), le chocolat qu'il (ou elle) a sur les lèvres...

Ouvert seulement du jeudi au dimanche de 14h à 20h

Afin d'apprécier davantage la chaleur du lieu

Le chocolat est parfois tenace !

Place du marché Sainte-Catherine

4e arrondissement
Métro Saint-Paul
Cette coquette place pavée offre un avant-goût de vacances dans le sud de la France. Les quatre bancs situés sous la rangée d'arbres sont le clou du voyage. Tout autour, les terrasses des cafés-restaurants colorent la place. Chaises et tables jaune banane pour le restaurant Côté Soleil ; vert concombre pour le Bistrot de la Place ; rouge à pois jaune pour le Marché. Les effluves provenant du Barbecue Coréen mettent en appétit. Savourez la salade maison : batavia, soja, tomates, poivrons verts et rouges ; une petite crêpe fourrée aux légumes ou encore un panier de beignets de crevettes. De quoi faire le plein de vitamines pour donner des forces aux... catherinettes.
Au lever du soleil
À cause des tenues légères de saison
Goûtez sans réserve aux fruits défendus

Les Degrés de Notre-Dame

5e arrondissement
10, rue des Grands-Degrés. Tél. 01 55 42 88 88
RER Saint-Michel-Notre-Dame ou métro Maubert-Mutualité
La vieille enseigne en fer forgé de l'hôtel-restaurant ne pouvait pas mieux tomber : sous un lit, deux oiseaux picorent une grappe de raisin dans une corbeille de fruits. L'adresse semble ne pas être étrangère aux amoureux. À droite de la porte d'entrée, une petite table dans un coin est justement dressée pour eux. Mais avant le repas, testez la terrasse, propice aux apéritifs et préliminaires. De celle-ci, vous contemplerez une scène exclusivement parisienne : les bouquinistes d'un côté, Notre-Dame de l'autre.
Place au menu : petite salade de magret de canard et sa julienne ? Ensuite, laissez-vous séduire par le gratin du poète et la marquise au chocolat, sauce café. Si le dîner se dénoue suivant vos souhaits,

l'hôtesse d'accueil vous confiera la clé d'une des dix chambres au-dessus de la salle de restaurant. La cage d'escalier qui conduit au septième ciel est ornée d'œuvres d'art peintes directement sur les murs (vues du quartier, du bois de Boulogne et de la tour Eiffel autrefois). Un parcours exceptionnel pour une nuit sans pareille.

Du dîner jusqu'au petit matin

Quand les feuilles jaunes tombent sur la terrasse

Quelle question !

Le Fogon Saint-Julien

5e arrondissement

10, rue Saint-Julien-le-Pauvre. Tél. 01 43 54 31 33

Métro Saint-Michel

Ici, grignoter des *tapas* en apéro, c'est comme couvrir de petits baisers préliminaires l'amour de votre vie. D'ailleurs, le mot *tapas* ne vient-il pas du verbe *tapa* signifiant couvrir en espagnol ?

Après vous être attardés sur ces friandises des plus exquises, place à la paëlla, celle qui trône au milieu de vous deux, et dont le riz baigne dans l'encre de seiche. Décortiquez la queue d'une langoustine et portez-la à la bouche coquine de votre amoureux(se) ! Vous vous en lécherez les doigts. Seul point noir à l'affaire, impossible de lui faire du pied : celui de la table interdit toute tentative. À vous de trouver une méthode – peut-être un peu moins ringarde – pour l'inviter à finir la soirée en beauté, à vos côtés, sur les bords de la Seine…

La réservation est prise ce soir pour 21h30

Pour une petite balade à la fraîche du côté de Notre-Dame

Restaurant de grand standing et tables rapprochées

Le Kiosque flottant de Notre-Dame

5e arrondissement

Face à Notre-Dame, quai de Montebello. Tél. 01 43 54 19 51

Métro Saint-Michel

Certains soirs, sur le quai de Montebello, là où est accostée la péniche-restaurant le Kiosque flottant, un saxophoniste plante le décor musical. Bienvenue à bord ! La table située le plus à l'arrière du bateau vous est réservée. Amoureusement assis en tête à tête, laissez fondre sur vos langues… une glace estivale (poire, ananas, fraise au choix), ou la "Kiosque flottant" (fraise, citron vert, coco, curaçao). La fraîcheur de la nuit vous saisit. Le serez-vous, plus tard dans la soirée, par le bras de celui (celle) qui vous accompagne ? Pour l'instant, la soirée s'annonce belle et prend son rythme de croisière… bien que la péniche reste à quai. Cela vous laisse le loisir de succomber au charme de Notre-Dame, revêtue d'un manteau de lumière.

Entre minuit et 2h, pour le dessert, à la fraîche. Café-concert
Sur le pont
La nuit vous cache

Lapérouse, les derniers salons particuliers de Paris

6e arrondissement
51, quai des Grands-Augustins. Tél. 01 43 26 68 04
Métro Saint-Michel

Depuis 1766, les couples possèdent leurs salons particuliers, deux petites pièces de cinq mètres carrés équipées chacune d'une petite table ronde, d'une banquette et d'un miroir. Sur ce dernier, les "cocottes", ou complaisantes, gravaient leurs prénoms, une façon originale de tester la qualité des diamants que ces messieurs venaient de leur offrir. Car à la Belle Époque, ces salons offraient aux couples illégaux la chance de pouvoir se rencontrer. La maison Lapérouse était un lieu public, par conséquent les hommes en noir chargés des constats d'adultère pouvaient toujours "aller se rhabiller".
Le restaurant n'était pas le seul à proposer des salons particuliers en ce temps-là, mais il est l'unique à les avoir conservés. La banquette en velours rouge est suffisamment large pour y faire une petite sieste en toute intimité avant, pendant ou après le repas… Soyez sans crainte, vous ne serez pas dérangés : le maître d'hôtel n'entre dans votre salon privé que lorsque vous l'avez "sonné" grâce à une petite cordelette.
Anecdote croustillante : au fond du salon des Sénateurs, un passage souterrain mènerait jusqu'au Sénat. Les sénateurs arrivaient alors discrètement par ce passage secret pour y rencontrer leurs

invitées. De façon plus conventionnelle, des mariages se célèbrent encore dans ces salons, en comité très restreint (seulement les deux intéressés !) ou bien des "pèlerinages" d'amour après quarante ou cinquante ans de mariage. Colette, George Sand, Alfred de Musset, Guy de Maupassant, Victor Hugo, Émile Zola ou Alexandre Dumas vous ont déjà précédés. Une célèbre adresse jalousement gardée !

Peu importe l'heure, pourvu qu'on ait l'ivresse...

Quand les vin, champagne et cognac Lapérouse sortent des fûts

C'est étudié pour !

Le Train Bleu

12e arrondissement

Gare de Lyon, 20, boulevard Diderot. Tél. 01 43 43 09 06

Métro/RER Gare de Lyon

Ne manquez pas le Train Bleu ! Son nom coloré fait revivre le mythique express de luxe qui reliait Paris à la Côte d'Azur. Le somptueux décor est classé Monument historique mais, comme le rappelle justement Curnonsky, grand critique culinaire, "on ne vient pas au restaurant pour boulotter les rideaux" ! Alors, passez vite votre commande : assiette gourmande du Président (mais lequel ? Pierre Mendès-France, François Mitterrand ou Jacques Chirac y sont, tous trois, venus manger) ; foie de veau grillé à la confiture d'oignons ou petit coquelet Val-de-Saône grillé en crapaudine à la sauce diable ? Rien de tel pour mettre le feu à la bouche ! Pour le dessert, ne restez pas bouche bée devant le baba Christian Guy à la crème fraîche, hommage à l'illustre chroniqueur gastronomique qui avait lui aussi sa table attitrée. Courtine, autre grand critique culinaire, le confirme : "J'ai déjeuné ici avec Christian Guy, cœur d'or mais grande gueule (qu'il ouvrait plus grande encore pour dévorer le baba qui porte son nom !). J'ai aussi mangé avec Francis Amunategui, historien de la côte de veau de B. Foyot (également au menu)." On a également aperçu la jolie Réjane en compagnie d'Edmond Rostand, et Colette avec la marquise de Morny.

Entre 19h et 21h, avant le départ des trains de nuit

Avant un week-end hivernal à Venise

Essayez de tenir jusqu'au digestif et consolez-vous en pensant aux joies de la couchette du train de nuit. Bon voyage !

Les Phinéas

14e arrondissement
99, rue de l'Ouest. Tél. 01 45 41 33 50
Métro Pernety

Une adorable et originale adresse. Originale, car la bande dessinée est au menu : la carte est insérée dans un album de BD. Au choix : le courageux Michel Vaillant, Tintin l'intrépide, Astérix le valeureux... En outre, tout ce petit monde joue un rôle dans le décor. Dans la salle du fond, qu'il faut prendre d'assaut, un drapeau de pirate accroché au mur délimite votre intime territoire ; des rideaux de théâtre rouges mettent en scène les héros que vous êtes ce soir. Mais avant que votre histoire d'amour pétille dans les bulles de champagne, choisissez bien votre place ! Autour des petites tables situées aux coins de cette salle, il n'est pas rare de voir deux amoureux attablés en tête à tête. Une petite lampe dessine au crayon noir leurs silhouettes. À l'ombre des regards, vous attrapez au passage un poisson papillote (filet de mérou) sur son lit de légumes au curry. Goûtez aussi aux "fabuleuses tartes salées". Et, avec un peu d'imagination, en tournant légèrement la tête, vous apercevrez certainement Gaston Lagaffe avec la très charmante mademoiselle Jeanne... En dessert, les Phinéas vous proposent, sur commande, des gâteaux personnalisés sur votre thème préféré.

22h-23h. Évitez la foule du midi
Le vieux poêle réchauffe les cœurs
Les longs baisers sont nécessaires car le service est, lui aussi, parfois un peu long. Surtout lorsqu'il faut attendre que le cuisinier aille chercher le pain à la boulangerie... à 22h30

Le Ciel de Paris

Tour Montparnasse, 56e étage
15e arrondissement. Tél. 01 40 64 77 64
Métro Montparnasse-Bienvenüe

Offrez-lui la lune ! Ce soir, tout est possible. Le Ciel de Paris est à vos pieds. Au 56e étage de la tour Montparnasse, ce restaurant panoramique vous plonge la tête dans les étoiles, le temps d'une bisque de homard parfumée à l'anis : un grand rendez-vous gastronomique. Vous craquerez aussi pour le croustillant de pétoncles, avec son concassé de tomates à l'orange et avocat. Si, après toutes ces bonnes choses, vous daignez relever le nez de votre assiette, vous succomberez sans aucun doute au charme de votre invité(e), qui brille au milieu de toutes ces lumières de la ville. Un conseil, demandez une table légèrement en retrait des fenêtres, la vue y est plus intéressante.

Du coucher de soleil au milieu de la nuit

Évitons d'avoir la tête dans les nuages...

Nous ne sommes pas montés si haut pour nous priver, n'est-ce pas ?!

Le Bistro des Dames

17e arrondissement

18, rue des Dames. Tél. 01 45 22 13 42

Métro Place de Clichy

C'est un passage secret que l'on vous livre ici, une cachette découverte par une amie à nous qui, en rendez-vous galant, était partie se repoudrer le nez. La salle principale du Bistro des Dames est presque trop banale, cela cache quelque chose ! Allez voir de plus près : un petit jardin secret et coloré (ouvert seulement aux beaux jours) et une véranda offrent aux déjeuners parisiens un billet doux sous le soleil. Au fond de ce jardin, un hôtel de caractère, l'Eldorado, fait la sieste sous les branches d'un bel arbre, au pied duquel sommeillent de petits guéridons et des chaises pliantes. Ce restaurant-bar à vin est le plus pétillant, en terme de chaleur humaine, de tout l'arrondissement... À goûter goulûment, sans modération.

Pour un déjeuner (presque sur l'herbe)

Moules à l'anis en apéro et en terrasse, ça vous dit ?

Sinon, pourquoi se décarcasser pour vous trouver les recoins les plus secrets. Et puis, l'hôtel vous tend les bras pour une sieste coquine.

Moulin de la Galette

18e arrondissement

83, rue Lepic. Tél. 01 46 06 84 77

Métro Abbesses

Au début du XIXe siècle, le moulin des Debray était une ferme-auberge où les Parisiens venaient boire un bol de lait frais et manger une part de galette. En 1876, alors que de jolies filles sont attablées dans le jardin, le peintre Renoir, au pinceau joyeux, fait chanter de couleurs l'immense toile du *Moulin*. Car à cette époque, l'adresse résonne comme un bal musette ; c'était le rendez-vous des cousettes de Montmartre accompagnées (ou non) de madame leur mère. Le dimanche après-midi, leurs longues robes empoignées par les gars du quartier tourbillonnaient au rythme des polkas et des mazurkas. Aujourd'hui, la clientèle est cossue. Nappes blanches et velours rouge colorent le décor. À la carte : filet mignon d'agneau ou truite rose grillée au romarin, pour les gosses amoureux de Montmartre !

Le dimanche soir après le bal perdu

Pour la galette des rois

De nombreuses affiches de Dalida louchent sur vous

Avec mon chou chez Patachou !

18e arrondissement

9, place du Tertre. Tél. 01 42 51 06 06

Métro Abbesses puis funiculaire

Derrière la baie vitrée du chocolatier-glacier Patachou, laissez-vous fondre de plaisir sous la beauté et la grandeur de Paris. La vue panoramique est exceptionnelle. Si vous avez trop chaud, jouissez de la terrasse, prenez un grand bol d'air, goûtez au méli-mélo et… roulez jeunesse !

Quand sonne l'heure du tea time

Alors que les touristes se font encore timides

Et davantage encore

Chez Plumeau

18e arrondissement
4, place du Calvaire. Tél. 01 46 06 26 29
Métro Abbesses puis funiculaire

Une lune de miel à Paris sans la crêpe au miel de Plumeau, c'est comme un mariage sans pièce montée. La déguster sur la terrasse par une nuit de pleine lune, butiner ses lèvres mielleuses et mourir... d'amour ! Voilà tout le bonheur que l'on peut souhaiter aux jeunes mariés en voyage de noce à Montmartre.

Ce soir, que la reine des abeilles et son meilleur "ouvrier" s'abritent sous un toit de feuilles pour un essaim de bisous. Après une, deux ou trois crêpes au miel, à quelques pas de là, un petit banc sous les arbres invite à se frotter l'un contre l'autre. Mais de la mesure : "qui s'y frotte s'y pique", comme dit le proverbe !

Au dîner, un soir de pleine lune
Après la saison des mariages
Plus que jamais

La Maroquinerie, café littéraire

20e arrondissement
23, rue Boyer. Tél. 01 40 33 30 60
Métro Gambetta (sortie place Martin-Nadaud)

Chuuut... Moins fort les bisous, il y a lecture, ce soir, à la Maroquinerie ! La vieille fabrique du 20e arrondissement a changé de peau à la fin du siècle passé. Elle a revêtu sa tenue de soirée pour se nourrir de culture et autres mets raffinés. Au menu du jour : salade de cresson et crevettes au citron vert, à la fraîche, dans la cour intérieure.

Plantes vertes et salons de jardin pour décor, une pintade braisée aux choux rouges poursuivie par une fanfare de cuivres fait son entrée pour votre plat de résistance. Le bruit des assiettes s'accorde avec les notes des groupes invités et la poésie des textes lus. L'atmosphère est unique.

Ambiance branchouille le soir, plus familiale l'après-midi.
Quand les salons de plein air en plastique refleurissent dans les cours parisiennes.
Théâtral et improvisé !

7

Les amoureux des bancs publics

Expert en la matière, Georges Brassens chantait déjà : "... à la vérité, ils sont là, c'est notoire, pour accueillir quelque temps les amours débutants. Les amoureux qui s'bécotent sur les bancs publics (bancs publics, bancs publics...), en s'foutant pas mal du r'gard oblique [...], en s'disant des je t'aim' pathétiques, ont des p'tites gueules bien sympathiques !" Mais attention ! Le règlement des parcs et jardins de la Ville de Paris prévient : "Le public doit conserver une tenue décente et un comportement conforme aux bonnes mœurs et à l'ordre public..." Il vous appartient donc de jongler entre les interdits et vos désirs de galopins. Ne pas oublier, quoi qu'il en soit, que c'est "sur un d'ces fameux bancs, qu'ils ont vécu le meilleur morceau de leur amour"...

Jardin des Tuileries

1er arrondissement

Métro Tuileries ou Concorde

À travers l'Histoire, le jardin des Tuileries a toujours attiré les amants égarés. Nobles, pauvres, prostituées, hétéros, homos... tous ont eu, à tour de rôle, leurs places réservées dans ses allées. Au XVIIIe siècle, le lieu est tellement coté par les Parisiens que lorsque les allées du jardin des Tuileries sont sous la pluie, les portes sont fermées et les amants s'ennuient. Au XIXe siècle, les maris accompagnaient leurs épouses à la porte nord mais celles-ci s'éclipsaient aussitôt par la porte sud pour aller rejoindre leurs amants. Aujourd'hui, les tourtereaux se donnent rendez-vous sur les chaises disposées autour des bassins ou sur les bancs, tout près du marchand de gaufres. Les Tuileries restent toujours un lieu de rendez-vous romantique pour les homosexuels. Ainsi le jardin prolonge son historique mission : celle de satisfaire l'ensemble des amoureux.

De 15h à 17h

Patinoire en plein air

Depuis Catherine de Médicis

Place des Vosges

4e arrondissement
Métro Bastille, Chemin Vert ou Saint-Paul
Victor Hugo fut locataire, entre 1832 et 1848, du n° 6 de la place. Il y écrivit *Les Misérables*. Marion Delorme, héroïne d'un de ses drames mais aussi maîtresse de Condé et de Richelieu habitait au 11. Bossuet logeait au 17, Richelieu au 21, madame de Sévigné au 61, et enfin Théophile Gautier et Alphonse Daudet au 8. Ces gens du beau monde passaient du bon temps dans le jardin situé en bas de chez eux. Mais quel était leur banc préféré ? Peut-être celui posé en face de l'entrée, au niveau du 7 ? Il est, en tout cas agréablement situé pour écouter le concert du dimanche après-midi, donné sous les arcades par une petite formation philharmonique. Ce banc vous fera vibrer comme les cordes des violons.
Dès 14h le dimanche
Sous la pluie afin de rendre les violons plus mélancoliques
Jetez un coup d'œil autour de vous au cas où M. Hugo serait posté à sa fenêtre…

Square Barye

4e arrondissement
Pont de Sully
Métro Sully-Morland
Regardez passer les bateaux sur la Seine en suçant une glace Berthillon… et vous aurez goûté au bonheur ! Un bonheur qui se trouve au bout du square Barye. Cinq bancs sont scellés pour l'éternité à la pointe de l'île Saint-Louis. Sur votre droite, les silhouettes des sculptures en plein air se profilent à l'horizon, sur le quai Saint-Bernard. Tout droit, sur le pont d'Austerlitz, passe le métro aérien. En contrebas, le quai (ou la plage) de Béthune expose, quand le climat le permet, sa cargaison d'hommes bronzés. Par temps de pluie, des saules pleureurs laissent tomber leurs larmes vertes sur la Seine. Et quand souffle le vent, des bises sont semées à la volée, par tous les bien-aimés venus creuser leurs petits sillons de bonheur.
À la fraîche à partir de 22h
Au moment des semailles de printemps
Qui s'aime beaucoup récolte de longs baisers

"Cèdre"-moi fort dans tes bras, au Jardin des Plantes

5e arrondissement

Métro Censier-Daubenton

Un petit banc de pierre encercle le tronc d'un magnifique cèdre du Liban. Vous enlacez vous-même une belle plante : que rêver de plus pour être heureux ? Georges Brassens ne chantait-il pas "auprès de mon arbre, je vivais heureux" ? Sur les branches, deux pigeons se serrent eux aussi l'un contre l'autre. Le bonheur est partagé ! Remercions Bernard Jussieu qui, en 1734, a ramené les graines de ce cèdre, dans son chapeau selon la légende. Du pied de l'arbre, vous apercevez le petit kiosque du Jardin des Plantes. Un chemin en lacet mène jusqu'à ce pigeonnier des amoureux d'où peuvent s'envoler dix-sept mille becs. De là-haut, la vue est verte et splendide.

Entre 17h et 18h

Lorsque les robes d'été fleurissent

Les pigeons se gênent-ils, eux ?

Le Luxembourg et la fontaine Médicis

6e arrondissement

Jardin du Luxembourg

RER Luxembourg

La duchesse de Berry, fille du Régent, passait les nuits d'été dans le jardin, en compagnie, dit-on, de charmants polissons. En ce qui vous concerne, vous ne pourrez flâner dans les allées du célèbre jardin que le jour. Ainsi, amants diurnes, cachez-vous derrière les arbres de la fontaine Médicis tout comme Galatée se réfugie dans les bras de son amant, Acis. Faites-vous discrets afin que Polyphème, l'affreux mari, ne vous surprenne pas. Cette composition a jadis fait couler beaucoup d'encre et excité copieusement les passions des esprits les plus prudes ; quelque temps après son exposition dans le jardin du Luxembourg, un "jaloux" aspergea d'encre la blancheur éblouissante du corps de Galatée.

Aux petites heures givrées

Dans les blanches allées

Que serait le jardin du Luxembourg sans ses langoureux baisers ?

Romance à ciel et livre ouverts

6e arrondissement
Square Gabriel-Pierné (angle des rues Mazarine et de Seine)
Métro Odéon

Dans le romanesque square Gabriel-Pierné, il est temps de passer à l'acte et de trouver une idée originale pour séduire votre damoiselle ou damoiseau. Poussez la romance, ciel ! Racontez en chanson l'histoire d'un homme et d'une femme assis, comme vous l'êtes, sur un livre ouvert, sculpté dans de la pierre. Et improvisez ! Pour ceux ou celles qui ont moins d'imagination, debout sur le banc, chantez-lui : "C'est un beau roman, c'est une belle histoire", racontez-lui que vous vous êtes rencontrés "sur le bord du chemin et que c'était un jour de chance"... Mieux encore, imaginez que vous êtes les deux héros d'une belle histoire d'amour dans cette "ville aux cent mille romans", comme l'a écrit Balzac. Une statue de Marcelio Tommasy de 1968, au joli prénom de Carolina, donne de gracieuses formes au square. Attention, le déhanchement de Carolina risque de vous faire tomber du banc.

À l'aube d'une histoire d'amour
Aux bourgeons
Comme dans les romans

Péchés de Babylone

7e arrondissement
33, rue de Babylone
Métro Sèvres-Babylone

Cela ne ressemble pas à Babylone ! Au contraire, ce lieu, rebaptisé jardin Catherine-Labouré (canonisée en 1947) est un ancien potager de religieuses. Alors, de grâce, surveillez vos manières ! Aujourd'hui ne poussent plus tomates, carottes et poireaux mais pommes, cerises, groseilles et noisettes, le jardin étant devenu un véritable verger. Miracle ! On voit même des enfants marcher sur les pelouses. Sur celles-ci fleurissent, par les belles journées d'été, des nappes vichy rouges, à l'ombre des arbres fruitiers. Les déjeuners sur l'herbe sont légion et de saison. Les épouses d'ambassadeurs (on est dans le quartier) y promènent aussi les petits... hauts (fonctionnaires) comme trois pommes. De nombreux massifs d'arbustes abritent les douces étreintes. Et, au fond du jardin, derrière les tilleuls ou les vignes, pourquoi vous refuseriez-vous le plaisir sucré d'une délicieuse religieuse ?

Entre 12h et 14h

Les arbres en fleurs sont blancs et roses

Allongés sur la pelouse

Bois de Vincennes

12e arrondissement

Métro Porte Dorée

De petites barques avancent paisiblement dans la brume matinale, tandis qu'en tenue d'athlète, vous éprouvez quelque difficulté à boucler le tour du lac des Minimes en petites foulées. Qu'importe ! Faites donc une pause à la cascade. Si votre fierté vous l'interdit vis-à-vis de celui ou celle qui vous a sorti du lit douillet, simulez une crise d'hypoglycémie. Exigez alors le bouche à bouche que vous méritez. Il (ou elle) ne pourra pas vous le refuser car le lieu se prête davantage à une séance de câlins qu'aux exploits olympiques. En fermant un instant les yeux, vous pourrez avoir l'illusion d'être transporté en pleine campagne. Une campagne artificielle, certes, mais c'est tout de même un des rares endroits sauvages du bois où vous n'entendez pas le bruit des voitures.

À 5h en tenue de combat, au chant du coq !

Pour se croire davantage en montagne

Bouche à bouche

Un site à draguer...

14e arrondissement

RER Cité-Universitaire

Le jour de l'inauguration du parc Montsouris, le lac artificiel de près d'un hectare se vida en raison d'une malheureuse erreur de construction. Endroit de prédilection pour... draguer ! Après avoir trouvé votre petit trésor, emmenez-le sous le beau hêtre tortillard. N'y allez pas par quatre chemins, de toute façon il n'y en a qu'un. Ce fagacée, le pied dans l'eau, attend son tour depuis des années devant la Bonbonnière, buvette du parc où l'on suce des glaces

chocolat, fraise, praliné, pistache... À deux pas de là, proposez-lui enfin d'aller faire un tour de petits chevaux et cochons de bois roses.
En dehors des heures de sortie des centres aérés, vous éviterez ainsi de faire la queue devant la Bonbonnière !
À cause des glaces à la fraise
Spécialement sous le hêtre tortillard

Bises and love à la Cité Universitaire

14e arrondissement
37, boulevard Jourdan
RER Cité-Universitaire
Au cœur de la cité U, enlacés, roulant dans l'herbe, on écoute "Tom à la guitare, Phil à la kéna". Pendant ce temps, John, étudiant en mathématiques, coiffe les blonds cheveux bouclés de Petula et lui chante quelque chose dans le genre : "... pour toi ma princesse j'en ferai des tresses et dans tes cheveux, ces serments ma belle te rendront cruelle pour tes amoureux..." Le décor est planté ! Sous les arcades, l'aubade devance encore le rap. Dans ces conditions, rejoignez la communauté des étudiants pour perfectionner les tendres baisers. Entrez dans la ronde au n°37 du boulevard Jourdan. Et sans plus attendre, faites tourner le pavot... le palot, pardon !
12h-14h
Octobre, après les grandes vacances
C'est de votre âge, que voulez-vous !

Baisers sous les tropiques

16e arrondissement
Serres d'Auteuil. 1 bis, avenue de la Porte-d'Auteuil
Métro Porte d'Auteuil
Si un Marseillais vous raconte avoir vu ici des poissons rouges de la taille d'une demi-jambe... faites-lui confiance ! Ces poissons évoluent dans le bassin d'une des surprenantes serres d'Auteuil, construites à la fin du XIXe siècle sur les anciennes pépinières de Louis XV. Le climat tropical qui y règne déclenche des envies de baisers sauvages et torrides. Maîtrisez-vous. Jane, prenez doucement votre Tarzan du jour par la main et entamez un tour éducatif des

cent différentes espèces végétales (palmiers, ibiscus d'Asie tropicale, caféier, manguier, goyavier-fraise, tulipes créoles du Brésil...). Plus loin, dans une volière, flirtent une perruche et un mandarin. Sur un petit pont de bois, un couple d'amoureux graves gravent leurs initiales dans l'écorce d'un gigantesque bananier. Un sifflet strident met fin à ces débordements littéralement contre-nature et annonce, car il est déjà 19h, la fermeture de cette oasis qui dépayse Parisiens et... Marseillais.

Fin d'après midi

Pour le dépaysement

Allez Tarzan, montrez-lui que vous êtes un homme !

Vers verts au square des Poètes

16e arrondissement

Accès avenue du Général-Sarrail

Métro Porte d'Auteuil

Molière, Racine, Ronsard, Lamartine, Baudelaire, Mallarmé et bien d'autres poètes illustres vous invitent dans leur jardin. "Viens ! Je te dirai des choses si blanches, que ni les pervenches, ni les blancs muguets n'auront recueilli, tapis sous les mousses, de phrases plus douces..." Ces vers d'Ernest Fleury, exaltant la nature comme tous les autres, sont gravés sur une stèle posée en bordure de l'allée où viennent flâner les jeunes, vieux, ou pas encore... mariés. De nombreux bancs permettent de faire des pauses (ou coupes à l'hémistiche). Notamment celui de Rosemonde Gérard : "Sur le banc familier, tout verdâtre de mousse, sur le banc d'autrefois nous reviendrons causer, nous aurons une joie attendrie et très douce, la phrase finissant toujours par un baiser." Dommage, toutefois, que ce petit cercle de poètes disparus ne repose pas en paix : le manque de poésie des carrosses à essence trouble le parfum et la mélodie des mots d'amour. Mais concentrez-vous, et vous trouverez peut-être la rime manquante au mot poème. Allez, dites-le ! Je, je t'...

Dimanche matin, pour éviter le bruit des voitures

et Selon une stèle de Fernand Gregh : "Il n'est rien de plus beau qu'une fleur en avril sinon la feuille d'or qui tombe au vent d'automne."

Osez vos rimes embrassées !

Promenade obligatoire au Bois

16e arrondissement
Bois de Boulogne
Métro Porte d'Auteuil ou bus 63, arrêt Porte de la Muette

"Les mariages du bois de Boulogne ne se font pas devant M. le curé." Ce vieux dicton du XVIIe siècle montre combien le Bois était un lieu de rendez-vous peu conseillé aux amoureux. Sous le Second Empire, en revanche, il était recommandé d'être vu autour du lac de 14h à 16h en hiver et de 15h à 18h en été. L'empereur et l'impératrice aimaient également s'y montrer. Lorsqu'Eugénie descendait de voiture pour se dégourdir les jambes, un inspecteur avait pour mission de repousser les jolis cœurs trop attentionnés. Quant à l'empereur qui n'était point grand marcheur, il préférait suivre dans son phaéton, qu'il conduisait lui-même. À la Belle Époque, la promenade "au Bois" était toujours obligatoire pour la haute société. Mais les heures de sorties n'étaient plus les mêmes. Il fallait absolument y être vu entre 11h et midi, si l'on voulait avoir quelque chance d'être dans *Le Gaulois*, journal officiel du beau monde.

Les jours de semaine aux heures de bureau afin d'échapper aux sportifs (ou pendant un grand match de football retransmis à la télévision)

Pour éviter la foule et patiner près du lac gelé

Obligatoire !

On batifole aux Batignolles

17e arrondissement
Au niveau du 144, rue Cardinet
Métro Brochant

Si vous pensez au mariage et que vous n'avez pas encore trouvé le décor idéal, rendez-vous sans attendre au square des Batignolles. Pour obtenir un beau flou artistique, voici un conseil de professionnel : retirez son collant à la mariée (ou à toute autre jolie dame passant dans le jardin) et placez-le, tendu, sur l'objectif. À défaut de collant, faites du bouche à bouche à votre appareil pour former un voile de buée. Enfin, un dernier truc qui peut vous sauver la vie : si votre photographe prend son temps et que la nuit tombe, sortez du cadre en criant et hâtez-vous de gagner les portes de sortie du jardin car on a déjà retrouvé, derrière les buissons, des cadavres de femmes découpés en petits morceaux... À part ce léger détail, le cadre est très romantique. Les oiseaux gazouillent au printemps et les fleurs couleur de sang sont rouges naturellement. Cependant, tournez tout de même votre langue sept fois dans la bouche avant d'embrasser un inconnu dans le square des Batignolles et, en toutes hypothèse, refusez avec la dernière énergie qu'il vous embrasse dans le cou...

Évitez les sorties de poussettes

À la saison des mariages !

Au moment des photos !

Adam et Ève en vacances à Paris

18e arrondissement

17, rue Saint-Vincent

Métro Lamarck-Caulaincourt

Où iraient Adam et Ève, en visite à Paris ? Au jardin sauvage Saint-Vincent, évidemment ! Car seule Dame Nature est la jardinière de ce jardin pas comme les autres, qui n'abrite que des plantes sauvages. On y trouve, par exemple, la "douce-amère", une plante grimpante qui rampe comme le serpent, témoin de vos turpitudes. Comment ne pas croquer la pomme dans ce lieu si sauvage ?

On y trouve encore la chélidoine et ses jolies fleurs violettes aux étamines jaunes. Attention, cette plante est très toxique. N'espérez pas, après cette journée si douce en compagnie de votre amant(e), en mettre dans la soupe d'une épouse acariâtre ou d'un mari gênant : il est formellement interdit... de cueillir les herbe.

Ce petit paradis, idéal pour les amours en friche, ne recueille cependant que les flirts éclos au printemps et à l'été. Ses portes ouvrent, en effet, d'avril à octobre et seulement le lundi de 16h à 18h et le samedi de 14h à 18h. L'équilibre fragile de cet éden doit être préservé.

Voir ci-dessus

Adam et Ève prennent toujours leurs vacances au printemps, saison paradisiaque !

Près du petit étang

Faites comme chez vous !

18e arrondissement
Parc de la Turlure
Entrée rue du Chevalier-de-la-Barre ou rue de la Bonne
Métro Abbesses puis funiculaire de Montmartre

Au-dessus de la cascade artificielle du parc de la Turlure, deux canapés à angle donnent l'impression d'être dans son salon. Un seul détail : ils sont en pierre. Mauvaise nouvelle pour les couples qui n'apprécient que le confort de leur divan à ressorts ! Pour les autres, l'intimité est préservée. Malgré la foule des touristes brassée par le Sacré-Cœur, le parc de la Turlure est souvent très calme et désert. Ainsi, vous pouvez, à votre aise, vous allonger sur votre canapé, la tête sur ses cuisses. Mieux que la télévision, la superbe vue plongeante... sur Paris vous réserve une sacrée soirée en perspective. Écran panoramique...

Évitez les heures de sortie autorisées par la Sécurité sociale pour ne pas entendre parler de tumeurs molles ou de congestions cérébrales...

Parce qu'il y a moins de touristes et que les vignes ne sont pas loin

Comme à la maison !

À l'assaut d'un baiser historique

19e arrondissement
Parc des Buttes-Chaumont
Métro Buttes-Chaumont ou Botzaris

C'est grâce à Napoléon III que les amoureux d'aujourd'hui peuvent s'embrasser dans le parc des Buttes-Chaumont. Chapeau, Napo ! Lui-même amoureux des jardins anglais, il créa entre 1865 et 1867 cet immense espace vert parisien. Les adeptes du baiser "nature" lui doivent aussi, entre autres, l'aménagement du parc Montsouris, des bois de Boulogne et de Vincennes. Ne cherchez plus, l'endroit rêvé pour vous câliner pointe à l'horizon. Il s'agit du kiosque qui domine le parc et qui procure aux baisers une sensation de vertige. Vous êtes décidément dans un lieu chargé d'histoire. En effet, c'est de ce point culminant que, le 30 septembre 1814, le tsar Alexandre Ier a donné l'ordre de cesser les combats, après avoir contemplé un

Paris en flammes et en larmes. Quant à vous, ne baissez pas les bras ! Glissez-les plutôt autour de sa taille. Et repartez à la charge.

Le plus tard possible

Le 30 septembre, date anniversaire de la fin des hostilités

Un baiser de paix doit être long

8

L’agenda du baiser parisien

Tout au long de l'année, les occasions pour s'embrasser ne manquent pas. Mais où ? Voici quelques suggestions d'événements typiquement parisiens :

Fin février-début mars : baisers bucoliques

15e arrondissement
Porte de Versailles
Métro Porte de Versailles

Vous manquez d'air frais ? Granges à foin et vertes prairies vous émeuvent ? Le Salon international de l'agriculture est l'occasion de se donner encore du bon temps sans franchir le périphérique. Les plaisirs érotico-bucoliques sont garantis et labellisés "terroir de Paris". Toutefois, le manque d'intimité des lieux rend l'entreprise du baiser difficile. Alors sortez du troupeau : cachez-vous derrière une vache, une chèvre ou un bon gros cochon.

Fin mars-début juin : pommes d'amour

12e arrondissement
Bois de Vincennes, pelouse de Reuilly
Métro Porte Dorée

La Foire du Trône est de retour ! Comme le paon séducteur, faites-lui le coup de la grande roue. Une seule condition : avoir déjà un ticket avec celle ou celui que vous voulez séduire, et surtout avec qui vous désirez vous envoyer en l'air. Progressivement, vous décollez du plancher métallique des vaches. Vos lèvres, grâce aux sucres des barbes à papa et autres pommes d'amour, restent soudées aux siennes. Faites plusieurs tours (avec la langue) jusqu'à ce que le sucre devienne liquide. Attention, la rotation s'inverse ! Si vous êtes sage et expert, peut-être bénéficierez-vous d'autres tours gratuits ?

Fin avril : à perdre haleine

Dans tout Paris

Quelle femme n'a jamais rêvé qu'un homme la poursuive sur plus de 42 kilomètres ? Faites le premier pas, messieurs ! Inscrivez-vous au Marathon de Paris et rejoignez le peloton. À défaut de courir pour courir, démarquez-vous et courez pour un bisou à l'arrivée. Il se pourrait bien que pareille motivation soit partagée par tous les participants... Pour les petits coureurs de jupons et ceux qui ont le souffle court, une seconde chance est offerte : les 20 kilomètres de Paris. Cette épreuve a lieu en octobre ! D'ici là, elle court, elle court, la maladie d'amour... Bon courage tout de même !

21 juin : le baiser le plus long

N'importe où à Paris

C'est le solstice d'été, le jour le plus long de l'année. Essayez de vous embrasser jusqu'à la tombée de la nuit !

14 juillet : bal des pompiers

18e arrondissement
En face du square Carpeaux
Métro Guy-Môquet

Bourvil ou Juliette Greco ne se souviennent plus du nom du petit bal perdu ! Ils se rappellent seulement de "ces deux amoureux qui étaient heureux". Et si ce bal était l'un de ceux organisés dans les casernes des sapeurs-pompiers de Paris ? Les jupes à fleurs valsent aux rythmes de la java, du tango ou encore du "soleil des tropiques". "On va s'aimer à se brûler la peau", promettent les amants en se frottant. Heureusement, les pompiers sont là ! Mais une fois n'est pas coutume, les combattants du feu auraient plus tendance à attiser la flamme dans le cœur des dames qu'à prévenir les incendies. Leurs atouts ? Un uniforme flamboyant et des muscles débordants. Dans le 18e, les pompiers de la caserne du square Carpeaux mènent la danse. Le bal favorise les nouvelles rencontres (sans sortir de son quartier). Les lampions multicolores font office de chandelles à l'usage de tous ces nouveaux et anciens couples.

14 Juillet : un baiser qui pète le feu !

7e arrondissement
Au pied de la tour Eiffel
Métro Bir-Hakeim

Sous l'Ancien Régime, les rois offraient souvent aux Parisiens de gigantesques feux d'artifice. Un des plus grands fut celui tiré lors du mariage de Louis XIV en 1660 ; 250 étoiles signèrent dans le ciel les noms des jeunes mariés. Délire tout aussi grandiose pour le mariage de Louis XVI et de Marie-Antoinette. Quant au vôtre, il sera tiré place du Trocadéro.

Septembre : à cœur vaillant rien d'impossible

Vous êtes à la recherche d'un baiser monumental ? Rien de plus facile. À l'occasion des Journées du Patrimoine, profitez des portes ouvertes pour vous bécoter dans le bureau des ministres, au Sénat, à Matignon ou dans le palais de l'Élysée…

9

Le dico du bécot...

ou les mille et une façons de parler du baiser

"Un baiser à tout prendre, qu'est-ce ?
Un serment fait d'un peu plus près, une promesse
Plus précise, un aveu qui veut se confirmer,
Un point rose qu'on met sur l'i du verbe aimer ;
C'est un secret qui prend la bouche pour oreille,
Un instant d'infini qui fait un bruit d'abeille,
Une communion ayant un goût de fleur,
Une façon d'un peu se respirer le cœur,
Et d'un peu se goûter, au bord des lèvres, l'âme !"

Edmond Rostand,
Cyrano de Bergerac, 1898.

"Quelque chose comme un fruit savoureux et brûlant écrasé sur la bouche..."

Theuriet,
Le Mariage de Gérard, 1875.

"Sais-tu d'où vient votre vraie puissance ? Du baiser, du seul baiser ! Quand nous savons tendre et abandonner nos lèvres, nous pouvons devenir des reines. Le baiser n'est qu'une préface, pourtant. Mais une préface charmante, plus délicieuse que l'œuvre elle-même, une préface qu'on relit sans cesse, tandis qu'on ne peut pas toujours… relire le livre. Oui, la rencontre des bouches est la plus parfaite, la plus divine sensation qui soit donnée aux humains, la dernière, la suprême limite du bonheur. C'est dans le baiser, dans le seul baiser qu'on croit parfois sentir cette impossible union des âmes que nous poursuivons, cette confusion des cœurs défaillants. […] Une seule caresse donne cette sensation profonde, immatérielle des deux êtres ne faisant plus qu'un, c'est le baiser. Tout le délire violent de la complète possession ne vaut cette frémissante approche des bouches, ce premier contact humide et frais, puis cette attache immobile, éperdue et longue, si longue ! de l'un à l'autre."

Guy de Maupassant,
Contes et nouvelles, Le Baiser, 1882.

Quand les encyclopédistes auscultent le baiser...

Afin de mettre tout le monde d'accord, les dictionnaires de la langue française proposent à peu près tous la même définition... malheureusement dénuée de toute poésie et on ne peut plus technique :

BAISER : n.m. Écrit vers 980 "baisair", substantivation de l'infinitif du verbe "baiser", le baiser désigne l'action d'appliquer ses lèvres sur une partie d'un être ou d'une chose en signe d'affection, de respect ou d'amour. D'après le *Dictionnaire historique de la langue française*, le baiser n'a pas subi la même érotisation que le verbe et a conservé sa vitalité au sens initial, le français moderne utilisant le couple embrasser-baiser. En français actuel, il est concurrencé par bise, bisou, lorsque le contexte n'est pas érotique.

BAISER : v. D'après la définition du *Dictionnaire de la langue du XIXe et XXe siècle* édité par le Centre national de la recherche scientifique (car tout ceci est très scientifique), le verbe "baiser" consiste à "appliquer, presser ses lèvres sur quelque partie d'une personne (notamment la bouche, avec mouvement actif de caresse, succion, préhension, etc.) ou sur quelque objet la symbolisant, en signe d'amour". Son origine ? selon le dictionnaire, il est issu (vers 980) du latin *basiare*, dérivé de *basium*, d'abord utilisé avec un sens érotique à côté d'*osculum* (proprement, "petite bouche"). *Basium*, en raison de son apparition tardive en latin pourrait être un emprunt (on a évoqué une origine celtique). En français, il est d'abord attesté à propos du baiser entre le Christ et ses disciples. Son emploi dans un contexte amoureux (XIIe siècle) a conduit à un emploi érotique par euphémisme pour "posséder charnellement". Cet emploi est attesté aux XVIe et XVIIe siècles, notamment chez les Burlesques, mais il est alors ambigu, le sens "décent" étant encore très usuel. Néanmoins, le "baiserai-je, mon père ?" de Molière faisait déjà rire. L'emploi érotique a conduit au remplacement de baiser au sens initial par embrasser. Comme quoi, dans les mots comme dans les gestes, un simple petit baiser peut mener bien loin !

BAISEMENT : Surtout employé dans un contexte liturgique.

BAISER LAMOURETTE : Cette expression idiomatique française exprime une réconciliation de courte durée. Son origine fait justement état d'accords éphémères entre les deux partis opposés à l'Assemblée législative, provoqués par un appel à l'entente de l'abbé Lamourette qui, en 1792, invitait les révolutionnaires à s'accorder.

BAISEMAIN : n.m. Fort commun dans la France du XVIe siècle, le baisemain se dit mais ne s'exécute pas : on l'utilise quand on prend congé de quelqu'un, il est en effet coutumier de dire "je vous baise la main" ou "je baise la main de votre seigneurie". Apparu dès 1306, dans le contexte féodal de l'hommage du vassal au suzerain, il désigne aujourd'hui le geste de politesse d'un homme envers une femme. Cette pratique a toujours été limitée aux classes supérieures de la société.

BAISER DE JUDAS : Baiser donné par Judas au Christ, signant sa délation. Par extension, ce baiser de traître colle à la peau d'un individu qui en embrasse un autre en caressant l'espoir d'obtenir quelque chose en échange. (Aujourd'hui, une machine à laver, un four à micro-ondes, une perceuse multi-fonctions ou... une petite gâterie.)

BAISERET : D'après le *Dictionnaire de la langue française du XVIe siècle*, "baiseret" est un diminutif de "baiser". Pourquoi ne pas annoncer, comme le poète Olivier de Magny : "je veulx qu'aussi soubdainement ta bouche tu me viennes tendre, pour un doulx baiseret en prendre." Si votre partenaire ne répond pas à cette franche demande, essayez donc ceci : "pourquoy, craintive fillette, vous reculez-vous ainsi de ces baiserets ici ?"

BAISEUR OU BAISERAISSE: Selon le *Dictionnaire de la langue française du XVIe siècle*, un baiseur est tout simplement celui qui donne un baiser.

BAISOTER : Utilisé au XVIe siècle, ce verbe est un fréquentatif et diminutif de "baiser". Exemple : "Puis luy dire en la baisotant, la caressant, la mignottant, cachez votre beau sein, mignonne." (Belleau.) Ronsard, en 1556, orthographie le mot avec un "z" ("baizoter"). Le terme a depuis vieilli, même avec la valeur érotique de "faire l'amour d'une façon médiocre et routinière", plus ou moins remplacé par "baisouiller".

BAISE : n.f. La baise, comme la plupart des dérivés tardifs de "baiser", concerne le sens érotique. Il désigne la pratique de l'amour physique. À l'exception de quelques écarts régionaux comme dans le Nord et la Belgique où il est synonyme de "petit baiser affectueux".

BEC : n.m. Issu vers 1119 du latin *beccus* (bec d'oiseau), bec a pris par extension le sens de "bouche humaine" au début du XIIIe siècle. D'où divers sens métonymiques comme "visage", "personne" et, en Suisse et au Québec, l'emploi familier pour un baiser.

BÉCOT : n.m. Dérivé de bec, avec le suffixe diminutif "ot". À la fin du XVIIIe siècle, "bécot" est un équivalent familier de "baiser" dont est dérivé "bécotement", déjà relevé en 1863 par Flaubert.

BICHER : Verbe familier d'origine dialectale (1845), il correspond à une forme dérivée du latin *beccus*, "bec". L'expression "ça biche !" vient probablement du langage des pêcheurs "ça mord", en parlant du poisson (1867). Emplois régionaux attestés dans le Lyonnais : "se bichi" (se donner des coups de bec ou... se mordiller). En outre, bicher a signifié "embrasser" dans le Nivernais ou le Bourbonnais. On rencontre le dérivé "bicheur, euse" (nom et adjectif), pour désigner celui ou celle qui cajole.

BIDOU : n.m. L'art du bidou ? Effleurer délicatement les lèvres de son partenaire en fermant les yeux et recommencer jusqu'à ce que la pression sur les lèvres soit la moins perceptible possible. Un bidou est juste un léger contact. Retirer les lèvres dès que l'on a touché celles de son partenaire. Sans doute le baiser le plus frustrant !

BISOU : n.m. Devenu à la mode dans les années 1960, bisou était déjà employé au début du siècle. Le suffixe "ou" ajouté à bise est probablement l'équivalent provençal moderne de l'ancien suffixe "on" ("tu me donnes un bison ?")

EMBRASSER : D'après le *Dictionnaire étymologique du français*, le verbe "embrasser" signifie uniquement prendre dans ses bras ou entourer d'affection.

PALOT : À l'origine, un palot est une sorte de pelle utilisée par les ouvriers qui travaillaient à l'extraction de la tourbe.

PATIN : Voici l'origine probable de l'expression "rouler un patin" : le patin a d'abord désigné une chaussure de femme à semelles épaisses que les élégantes employaient pour se grandir. Il s'est spécialisé pour désigner une galoche sur laquelle on adaptait des clous et surtout une ferrure pour aller glisser sur la glace (1427). L'expression argotique "rouler une galoche" est d'ailleurs également employée. Par analogie de fonction avec le patin à glace, il désigne, vers 1845, une semelle métallique montée sur roulettes, dénommée, à partir de 1868, "patin à roulettes". C'est ce dernier qui serait à l'origine du "baiser profond", c'est-à-dire le "patin". À moins qu'il s'agisse, comme certains le pensent, d'un sens dérivé de patte "chiffon" (voir pattemouille).

PATTEMOUILLE : n.f. D'usage régional (Lyonnais, Dauphinois, Alpes et Suisse), le terme "patte" s'est employé adjectivement au sens de "mou et flasque" (comme un chiffon). Il est possible que l'argotique "patin" (baiser lingual) lui doive quelque chose, bien que certains préfèrent interpréter "rouler un patin" comme une déformation plaisante de rouler à patins (à l'époque de la vogue du patin à roulettes).

PELLE : n.f. issu du latin *pala*, "bêche". *Pala* est proprement "ce que l'on enfonce"...

POUTOU : n.m. Attesté pour la première fois en 1784 chez madame Rolland, "poutou" est un mot occitan *(poudoum, poutoun, poutou)*, d'origine onomatopéique, d'un radical *pott*, désignant les lèvres, la moue. "Poutou", mot familier employé dans certaines régions, désigne un baiser amical, affectueux et sonore. Au gré des rencontres parisiennes, on entend parfois le dérivé "poutouner" (occitan "putuné"). Chez les adolescents, "poutouner" consiste à souffler sur la peau de son partenaire et à faire vibrer les lèvres pour émettre un bruit.

PIOU, CANARD OU POP : En argot, petit baiser sur les lèvres.

SMAC : Baiser qui claque.

SUÇON : Légère ecchymose produite sur la peau par des baisers ventouses. Comment le réussir ? Posez vos lèvres sur l'épiderme de votre partenaire, de préférence dans le cou, et aspirez longuement. Le but de cette pratique vampirique est de laisser la signature du baiser sur sa proie. Technique déjà utilisée à la fin du XVIIe siècle.

Dictionnaire des "langues" étrangères

Comment dire "Puis-je vous embrasser ?" dans différentes langues ?

ALLEMAND : *Darf ich Sie küssen ?* Vous le prononcerez bien en faisant un large sourire comme vous prononcerez le "ch" de *ich*, tout en posant le bout de la langue derrière les dents du bas, contre les gencives. Vous aurez alors toutes les chances, malgré vos grimaces, d'être compris et de faire rire. Et comme le dit la sagesse populaire : une fois que tu l'as fait rire...

ANGLAIS : *May I kiss you ?* Comme le conseillent tous les professeurs d'anglais, pour la bonne prononciation, posez cette question avec une pomme de terre bouillante dans la bouche... et ne vous préoccupez pas de votre allure.

BELGE : Puis-je vous embrasser... juste une fois ?

ESPAGNOL : *¿ Puedo besarle ?* (Comme ça se prononce !)

ITALIEN : *Posso baciarti* (entre jeunes) et *potrei baciarla* (plus galant, formel).

PICARD : Donne un *tcho bec* à *tun Quinquin* !

RUSSE : Ne demandez pas ! La coutume veut que l'on s'embrasse sur la bouche de toute façon !

SUISSE ALLEMAND : *Chönnt'i dir ächt äs müntschi gää ?*
(Avec l'accent français, c'est charmant. Pour que la question soit posée poliment en suisse allemand, il faut l'ajout de *ächt* dans le milieu de la phrase qui veut dire "peut-être". Quelque chose comme : *Puis-je peut-être vous embrasser ?*

"Happy end..."

Dans la même collection

À chacun son café
Acheter de l'art à Paris
Avoir un chat à Paris
Chanter à Paris
Comment devenir une vraie Parisienne
Cuisiner comme un chef à Paris
Danser à Paris
Faire de la musique à Paris
Faire du vélo à Paris
Guide de survie de l'étudiant parisien
Jardiner à Paris
La photographie à Paris
L'ésotérisme à Paris
Le roller à Paris
Le thé à Paris
Les meilleurs brunchs de Paris
Les meilleurs dépôts-ventes de Paris
Nuits blanches à Paris
Où naître à Paris
Où s'embrasser à Paris
Où trouver le calme à Paris
Paris brico-déco
Paris Chocolat
Paris cool
Paris en fleurs
Paris Gourmandises
Paris des libres savoirs
Paris les pieds dans l'eau
Paris récup'
Paris Tonique
SOS Jeune mère parisienne
The Best Places to Kiss in Paris
Trouver un Jules à Paris
Vivre bio à Paris

Illustrations Isabelle Chemin

ISBN : 2-84096-299-3
Dépôt légal : juillet 2002

Achevé d'imprimer en juin 2002
dans les ateliers de SAGIM•CANALE, à Courtry
N° d'impression : 5950